EDUCAÇÃO NÃO VIOLENTA

ELISAMA SANTOS

EDUCAÇÃO NÃO VIOLENTA

COMO ESTIMULAR AUTOESTIMA, AUTONOMIA, AUTODISCIPLINA E RESILIÊNCIA EM VOCÊ E NAS CRIANÇAS

22ª edição

Paz & Terra
Rio de Janeiro
2025

© Elisama Santos, 2019

Esta obra tem como base situações reais. Todos os nomes e as informações pessoais foram modificados para preservar o anonimato e a privacidade das pessoas envolvidas.

Direitos de edição da obra em língua portuguesa no Brasil adquiridos pela EDITORA PAZ E TERRA. Todos os direitos reservados. Nenhuma parte desta obra pode ser apropriada e estocada em sistema de bancos de dados ou processo similar, em qualquer forma ou meio, seja eletrônico, de fotocópia, gravação etc., sem permissão do detentor do copyright.

Editora Paz e Terra Ltda.
Rua Argentina, 171, 3º andar – São Cristóvão
Rio de Janeiro, RJ – 20921-380
http://www.record.com.br

Seja um leitor preferencial Record.
Cadastre-se e receba informações sobre nossos lançamentos e nossas promoções.

Atendimento e venda direta ao leitor:
sac@record.com.br

Texto revisado segundo o novo Acordo Ortográfico da Língua Portuguesa.

CIP-BRASIL. CATALOGAÇÃO NA PUBLICAÇÃO
SINDICATO NACIONAL DOS EDITORES DE LIVROS, RJ

S234e
22ª ed.

Santos, Elisama
    Educação não violenta: como estimular autoestima, autonomia, autodisciplina e resiliência em você e nas crianças/Elisama Santos. – 22ª ed. – Rio de Janeiro: Paz e Terra, 2025.
    168 p.; 23 cm.

    ISBN 978-85-7753-403-6

    1. Psicologia infantil. 2. Pais e filhos. 3. Educação de crianças. 4. Crianças – Desenvolvimento. I. Título.

CDD: 155.4
CDU:159.922.7

18-54094

Vanessa Mafra Xavier Salgado – Bibliotecária – CRB-7/6644

Impresso no Brasil
2025

*Aos meus filhos, Miguel e Helena,
por me ensinarem diariamente a
compaixão e o amor incondicional.*

SUMÁRIO

PREFÁCIO - Alexandre Coimbra Amaral	9
PARA INÍCIO DE CONVERSA	11
1. UM NOVO OLHAR SOBRE A EDUCAÇÃO	13
2. OS SENTIMENTOS DO SEU FILHO	29
3. NUTRINDO A AUTENTICIDADE	55
4. PREPARANDO PARA A VIDA	77
5. MUITO ALÉM DA OBEDIÊNCIA	97
6. ABANDONANDO AS PUNIÇÕES	115
7. UM NOVO OLHAR SOBRE NÓS	141
AGRADECIMENTOS	165

UM CONVITE À LEITURA FEITA COM OS OLHOS E COM O CORAÇÃO

Convido você a conhecer o trabalho da incansável transformadora de mundos, Elisama Santos. Tenho o privilégio de testemunhar a potência da sua fala desde que passou a contribuir para a vida familiar das pessoas. Tenho muito orgulho dela.

Tenho uma alegria infinita de pensar que uma mulher negra, advogada, nordestina do interior da Bahia, casada e mãe de dois filhos se fez referência na capacidade de conversar sobre criação de filhos e cultura não violenta nas relações humanas. Ela é uma mulher que se assume em sua inteireza, em suas dificuldades reais e nunca em uma imagem ideal de quem está ali para ensinar o outro a ser feliz. Seu livro é a antítese da autoajuda fácil: faz perguntas para serem respondidas pelas histórias humanas individuais, respeitando as subjetividades, que são o nosso maior tesouro.

Por isso, espere ser surpreendido por essa leitura. Eu sugiro, inclusive, que você preste atenção aos seus próprios sentimentos, quando algum trecho específico do livro chamar sua atenção. Esses serão os momentos em que você será mobilizado, não necessariamente por uma sensação de alegria. Desconstruir os aprendizados de uma vida pode ser muito mais desafiador do que parece – o que não quer dizer que seja impossível. Pode doer, pode dar raiva; você pode ter medo, culpa, arrependimento. Pode sentir que, na sua infância, seus pais não agiram como você gostaria. Pode dar vontade de fazer tudo diferente na sua vida, a partir deste minuto. Fique em paz com cada um desses sentimentos: são todos, sem exceção, parte da aventura de estarmos vivos. Ninguém escapa de nenhum deles quando a travessia é corajosa.

A não violência como padrão das relações familiares ainda é um movimento inovador, por mais paradoxal que isso possa parecer. Não existe nenhuma mãe ou nenhum pai que tenha vivido aceitação social ampla, geral e irrestrita por decidir não bater nos filhos – o mais básico deste paradigma que Elisama retrata nas páginas a seguir. Cuide de você, das suas sensações durante a leitura. Cuide da sua capacidade de resistir às falas alheias que questionarão a sua escolha de educar sem violência. E comece a ler de coração aberto, porque é assim que Elisama vive, escreve e conversa com gente do país inteiro.

Finalmente, eu afirmo e reafirmo: Elisama é um fenômeno que merece ser lido, abraçado, "gargalhado". Eu gargalho muito com ela, porque ela é também o sorriso maiúsculo que desafia a mesmice e encontra um jeito maravilhoso de abraçar quem está por perto. Eu convido você a ser abraçado pelas palavras certeiras, honestas e sempre úteis de Elisama e a abrir seu coração para sentir a capacidade que ela tem de ser uma das operárias deste mundo novo, que pessoas como você, ela e eu queremos construir.

Obrigado, Elis, por este livro. Eu vou me assentar também aqui na poltrona, abrir o livro e aprender um tanto contigo.

Um abraço para você, leitora ou leitor. Felicidades no caminho da humanidade que merecemos resgatar em nós.

Alexandre Coimbra Amaral
Psicólogo, terapeuta familiar, de casais e grupos
Psicólogo do programa Encontro com Fátima Bernardes

PARA INÍCIO DE CONVERSA

As conversas que tenho com pais, de uma forma geral, iniciam de um jeito muito parecido. Eles dizem saber que palmadas, gritos, castigos físicos e psicológicos não são a melhor forma de educar, mas simplesmente não encontram outro caminho para resolverem os entraves diários. Não acredito que alguém bata nos filhos por prazer e grite buscando uma satisfação pessoal. Todos queremos viver de maneira harmoniosa, tendo a conversa como base das nossas relações, de maneira que o ambiente familiar seja tranquilo e acolhedor. Digo "todos", assim, generalizando, porque a conexão é uma necessidade humana básica. Acontece que, entre esse querer tão verdadeiro e honesto e a prática, há uma distância maior do que gostaríamos.

No dia a dia, as crianças não seguem o *script* nem colaboram tão facilmente quanto gostaríamos. Na prática, os desafios começam antes mesmo que estejamos realmente despertos e terminam algumas horas depois de gastarmos a nossa última gota de paciência. Diante da reclamação para não colocar o tênis, da briga entre irmãos, da mordida dada no coleguinha, do escândalo no shopping ou no supermercado, da mentira sobre a nota na prova de matemática e de tantos outros problemas que surgem em uma velocidade assustadora, como agir? Como equilibrar a assertividade e a leveza, o amor e a firmeza? Como não cair nos velhos padrões de gritos e ameaças? Como não repetir o comportamento que tanto repelimos e que, conscientemente, concordamos não ser a melhor alternativa?

Ouço esses questionamentos em quase todas as consultorias, workshops e palestras que ofereço. Eu também já me fiz essas perguntas, inúmeras vezes. Foram elas que me guiaram até aqui e é a partir delas que este livro nasce e se desenvolve. É para respondê-las que ele existe. A ideia de que educação é sinônimo de punição nos é passada ainda muito crianças, por isso é normal que tenhamos dificuldade em fazer de outra maneira.

Recentemente, uma amiguinha do meu filho veio lhe mostrar a cadela recém-chegada em casa. Quando o animalzinho, animado e feliz, pulou em meu pequeno, a sua amiga rapidamente puxou a filhote, deu dois tapas e gritou: "Não pode!". Sorrindo, do jeito mais amável que pude após o susto, pedi que não batesse nela. "Mas ela tem que obedecer, tia!". É nessa conjuntura social que vivemos, nela fomos educados e – principalmente – dentro dela educamos os nossos filhos. A violência na educação é normatizada e naturalizada a ponto de uma criança de menos de 8 anos já ter interiorizado que a forma mais eficaz de conseguir a obediência é batendo. Esse é o nosso padrão e essas são as atitudes pelas quais seremos cobrados por quem nos cerca.

Quando decidi educar sem palmadas não imaginei que seria algo tão desafiador. Que seria necessário mais que boa vontade e desejo para cumprir a minha promessa interna de fazer diferente. Seriam necessárias, além de uma intensa mudança na minha forma de ver a mim mesma e aos meus filhos, ferramentas práticas para serem utilizadas nos momentos de conflito.

Este livro é uma junção do que aprendi em meus anos de estudo, pesquisa, vivência, prática e trocas com outros pais e outras mães. Uma mistura de disciplina positiva, comunicação não violenta, atenção plena e inteligência emocional. Formas de agir, falar e ouvir que transformam as relações, fazem acreditar que educar sem violência é possível e nos permitem alinhar as nossas intenções com as nossas ações. Nas próximas páginas, dividirei com você exemplos de famílias que aconselhei e com quem tive o prazer de trabalhar – alterando os nomes para preservar a identidade. E também contarei histórias minhas, para que a teoria saia do papel e ganhe vida. Para que cada reflexão possa ser aplicada imediatamente. Elas estarão em destaque nos capítulos, para que sejam facilmente encontradas em consultas futuras.

Torço para que você consiga encontrar o seu jeito, passo e ritmo para implementar mudanças significativas em sua rotina. E que o equilíbrio, a tranquilidade e a conexão estejam cada vez mais pre-sentes em nossos dias.

Um abraço apertado,
Elisama Santos

UM NOVO OLHAR SOBRE A EDUCAÇÃO

1

Nós, pais e mães, amamos os nossos filhos. Em meus anos de consultora em educação e nos vários contatos que faço diariamente pela internet, jamais conheci quem não guardasse em si um amor enorme por eles. Há, em nós, vontade de acertar e de que eles sejam felizes. Observo, no entanto, que a lida diária, com os seus imensos desafios, empurra-nos em ciclos de autoritarismo, permissividade para compensar os momentos de autoritarismo, e culpa. Na sociedade moderna, somos excessivamente sobrecarregados. Casa, trabalho, escola, alimentação, roupas que cabiam perfeitamente ontem e hoje não mais fecham os botões. Uma pressa constante e a intensa sensação de que não temos tempo suficiente para fazer o que seja.

Baseado em sua rotina, você pode afirmar que o imenso amor que sente chega ao seu filho? Você acredita que, nas interações, nas falas, nas pequenas e grandes tarefas realizadas diariamente, o seu amor é transmitido, dando ao seu filho a real noção do lugar que ocupa em sua vida? Para a maior parte dos pais que conheço, a resposta é não. E antes que passe a impressão de que consigo transmitir o meu amor sempre, afirmo apenas que tento. Que é o meu maior compromisso, um esforço diário de alinhar as minhas intenções e atitudes.

Se não nos falta amor e vontade de ofertar o melhor, o que falta então?

Falta inteligência emocional para reconhecermos e lidarmos com as nossas limitações, sentimentos e necessidades antes de lidarmos com as dos filhos. E não a temos porque a educação tradicional, focada no desenvolvimento do raciocínio lógico matemático, na obediência e na supremacia parental sobre as crianças, não nos ajudou a desenvolvê-la.

Não quero dizer que os nossos pais foram insuficientes em sua missão. Eles ofertaram o melhor que podiam, com os conhecimentos

16 EDUCAÇÃO NÃO VIOLENTA

que tinham. Cada acerto e erro no caminho nos trouxe exatamente ao lugar em que estamos, e é incoerente amar quem somos sem dar a eles os devidos créditos. Não lhes faltou amor por nós, assim como não nos falta aos nossos filhos. Honrar o esforço de nossos pais, porém, não significa repetir os seus passos. O mundo mudou; temos ao nosso dispor mais informações e possibilidades do que eles jamais tiveram. Diante de uma sociedade assustadoramente intolerante, adoecida física e emocionalmente, fica claro que o foco da nossa educação deve sair do puro aprendizado da matemática, física e português, para o aprendizado da empatia, das habilidades sociais e do autoconhecimento. Queremos filhos educados, saudáveis e felizes, mas os nossos métodos educacionais são baseados em punições, críticas, ameaças e humilhação, o que se mostra claramente incoerente.

A nossa forma tradicional de educar está ultrapassada. Pessoas da mesma geração que a minha foram educadas para um mundo que já não existe, baseado em crenças que já não fazem sentido. Quando éramos crianças, a informação valia ouro. Formação superior e boa escola eram garantia de um futuro bem-sucedido. Nossos pais acreditavam que, quanto mais informação tivéssemos, maiores as nossas chances de sermos adultos realizados. Lembro que, quando uma professora solicitava uma redação sobre determinado tema, eu ia para a biblioteca, para pesquisar. Se a tarefa escolar viesse acompanhada do aviso "indicar mais de uma fonte", seriam duas ou mais idas à biblioteca municipal para encontrar nos livros algo relacionado ao solicitado. Fazia tudo à mão, em papel pautado ou em grandes folhas de cartolina. A informação era algo restrito a poucos, guardada em livros empoeirados, supervisionada por adultos que não nos permitiam conversar ou rir. Cresci e surgiu a internet. O Google. E, de repente, a informação passou a circular de maneira frenética, a estar disponível livremente em milhares de páginas virtuais que podem ser acessadas em segundos.

O mundo mudou rapidamente, e agora, com o excesso de informação, precisamos de filtros. Precisamos selecionar o que realmente nos serve. Precisamos de mais do que saber calcular e diferenciar os verbos transitivos diretos e indiretos. Precisamos de autoconhecimento. Saber reconhecer os próprios sentimentos e emoções e a forma de lidar com eles pode ser o grande diferencial para uma vida plena e feliz. Não o feliz como sinônimo de ausência de tristezas, mas o feliz de quem sabe acolher as próprias angústias e decepções e ter resiliência suficiente para recomeçar depois das quedas.

Nunca nos foi ofertado tanto. Vivemos hoje em um mundo em que sobram opções de diversão, comida, roupas, música. No entanto, toda essa oferta não nos tornou mais felizes, satisfeitos ou realizados. Somos uma sociedade adoecida emocional e fisicamente. Fomos ensinados a obedecer aos nossos pais, mas não fomos ensinados a reconhecer as nossas necessidades. Fomos ensinados a agradar o outro, mas não fomos ensinados a nomear o que sentimos. A educação tradicional nos direciona para fora de nós mesmos. Aprendemos a lidar com o mundo exterior, mas nada nos é ensinado sobre o fantástico e misterioso mundo interior. Nele, precisamos nos aventurar sozinhos. Ensinamos aos nossos filhos o que é uma faca, mas não os ensinamos a lidar com a raiva, que pode ferir muito mais.

Em uma época em que as profissões que mais crescem são focadas em desenvolvimento pessoal, e palavras como "propósito" e "autoconhecimento" circulam até mesmo no meio científico, fica claro que conhecer a si mesmo é essencial para a saúde física e mental do indivíduo. Enquanto vemos adultos embarcando em jornadas para se encontrarem, há de se pensar em uma forma de educar que não permita que as crianças se percam de si mesmas. Não existem apenas a permissividade e o autoritarismo como métodos educacionais, mas caminhos que equilibram os dois. Nos próximos tópicos vamos analisar por que buscar novas formas de educar.

POR QUE ABANDONAR O AUTORITARISMO

ANA E MATHEUS

Iniciamos aquele workshop como os demais: com as apresentações. Cada participante falava seu nome e o motivo de estar, em uma manhã de sábado, sentado em uma sala conversando sobre educação de filhos. Na sua vez, Ana iniciou uma fala agitada. Contou sobre o filho, Matheus, de 4 anos, que a desafiava enormemente. Ela era uma mãe autoritária na maior parte do tempo. Gritava as ordens dentro de casa e, por mais que as lembranças dos gritos e palmadas que recebera na infância lhe doessem muito, não conseguia sair desse padrão. A relação com a criança estava insustentável, visto que o pequeno tinha uma personalidade que não negava o enfrentamento. As palmadas e os castigos passaram a ser uma rotina. Ela sentia que estava perdendo o controle sobre o filho, sensação que fazia com que se tornasse ainda mais impaciente e violenta. As lágrimas rolavam enquanto descrevia a dor que a realidade lhe trazia. As ordens e a firmeza excessiva que utilizava na educação do pequeno Matheus apenas aumentavam a resistência dele para tudo o que ela solicitava. E essa resistência aumentava o cansaço e diminuía a paciência de Ana, tornando-a ainda mais autoritária. Um ciclo pouco saudável para ambos.

Tradicionalmente, a relação de pais e filhos é baseada em poder e controle. A obediência é a busca suprema. Esperamos que a criança aja como determinamos. Que coma no instante em que determinamos, os alimentos que determinamos e na quantidade que determinamos. Pais estão acima dos filhos e, por isso, os quereres e vontades deles não interessam nem devem ser considerados. Conversar, acolher e entender só são uma opção enquanto a criança está "boazinha". A obediência não estimula a responsabilidade. Não expande o senso crítico e a autonomia. Seres obedientes dependem de alguém que lhes diga o que é certo e bom e usam o "fiz o que o chefe mandou" como justificativa para atos que podem inclusive ferir a sua ética e seus valores. O conceito de "obediência" traz consigo impotência.

Considero muito triste que ainda sigamos criando agentes de manutenção do mundo tal como o conhecemos. Vivemos um preocupante momento social, e a passividade que nos assola é, sem dúvida, fruto dessa educação que nos reduz a meros executores de ordens – inicialmente dos pais, depois dos professores, chefes e políticos. Enquanto a obediência pressupõe uma relação de hierarquia e desigualdade, na qual um se coloca em lugar de superioridade, e o outro, de submissão, a cooperação parte do princípio de que somos igualmente dignos. Enquanto a obediência desconsidera as vontades, sentimentos e necessidades do outro, a cooperação considera as necessidades de todos, entendendo que somos semelhantes.

Há outro ponto que merece a nossa atenção. Os filhos crescem, e somos, em consequência, demitidos do cargo de administradores da

UM NOVO OLHAR SOBRE A EDUCAÇÃO 19

vida deles. Com sorte, dependendo da relação que criamos ao longo da infância, somos contratados para o posto de consultores. A nossa opinião passa a ser apenas isso, uma opinião. E é nesse momento que o autoritarismo mostra a sua fragilidade. A maioria de nós mentiu para os pais. Eles conhecem partes da nossa adolescência, porque não havia na relação abertura para conversar sobre tudo o que acontecia. Ninguém contrata um consultor que quer mandar na empresa, menospreza as opiniões do proprietário e desconsidera os seus anseios e dúvidas.

Enquanto a obediência pressupõe uma relação de hierarquia e desigualdade, na qual um se coloca em lugar de superioridade, e o outro, de submissão, a cooperação parte do princípio de que somos igualmente dignos.

Enquanto temos crianças que se assustam e têm medo das ameaças e dos castigos, pode ser que se consiga a tão falada obediência. Mas a infância dura apenas 12 anos.

Quando pergunto aos pais e às mães se querem que seus filhos tenham a mesma relação que eles têm com os próprios pais, a resposta é unânime: não. Por mais amor e respeito que tenham por quem lhes educou e cuidou, desejam que os filhos sejam mais próximos, que lhes contem mais sobre o dia e sobre a própria vida. Que lhes peçam a opinião e o colo quando precisarem. Essa relação de amizade e companheirismo não se conquista com ordens e autoritarismo. Intimidade é porta que se abre por dentro e é impossível forçar a entrada.

Ana saiu do workshop com a apostila cheia de anotações. Percebeu que, em sua ansiedade por controle, ouvia muito pouco o filho. Notou também que as brincadeiras e gargalhadas haviam ficado na fase de bebê, que as obrigações do dia a dia a haviam endurecido. Decidiu mudar a forma de fazer pedidos, criar um quadro de rotina e separar um horário diário para a criança. Com todas as principais queixas anotadas em um papel, e em um momento emocionalmente mais tranquilo, pôde notar que era, também, muito dura consigo mesma. Permitir-se olhar com bondade amorosa para a própria realidade fez com que percebesse que o papel de dizer quem o filho deveria ser, como deveria agir, além de determinar todos os seus passos, era exaustivo demais. Um tempo depois me enviou uma mensagem dizendo que muita coisa mudara. Os dias difíceis ainda existiam, claro, mas com bem menos frequência. E que, desde aquele sábado ensolarado, não havia dado mais nenhuma palmada na criança. Eu celebrei.

POR QUE ABANDONAR A PERMISSIVIDADE

MARINA E LUIZA

Marina me procurou preocupada com os comportamentos da filha, Luiza, de 5 anos. A menina tinha pouca tolerância ao desconforto e à dor e chorava por horas seguidas quando contrariada. Por vezes, gritava e atirava os objetos longe. Ela me contou que ver a filha chorando doía demais e que preferia atender a todos os desejos da criança, sempre que fosse possível, a ter de lidar com as consequências da negativa. Com a missão de evitar a dor e as frustrações da filha, a rotina da Marina tornou-se emocionalmente insustentável. Muito além do cansaço que sabia que impunha a si mesma ao assumir uma missão impossível, ela começou a se preocupar com a fragilidade emocional que a criança demonstrava. Quanto mais evitava as frustrações, menos capaz a menina se tornava de lidar com as poucas que experimentava. Entravam, então, em um ciclo pouco saudável para ambas.

Utilizo a palavra "igualdade" na educação dos filhos e, por vezes, sou mal interpretada. Somos semelhantes por sermos humanos que sentem e têm necessidades que se aproximam. Lembrar disso é essencial para conseguirmos ir além dos rótulos e nos comunicarmos compassivamente com eles. No entanto, não podemos nos esquecer de que somos diferentes em nossa experiência de vida, nas responsabilidades, e que as crianças não são capazes de cuidar de si sozinhas. As regras e os acordos familiares são essenciais para um desenvolvimento seguro e sadio.

Crianças acham que são o centro do mundo, e não estou embutindo julgamentos nessa frase. Isso não é bom ou ruim, simplesmente é, faz parte do desenvolvimento. É papel do adulto mostrar para a criança que ela é importante em sua conjuntura familiar, que conta

UM NOVO OLHAR SOBRE A EDUCAÇÃO

dentro daquela comunidade, que é aceita e querida. Mas que não é o centro do mundo, e sim uma parte especial dele, como todos somos. Todos. Por vezes, com a intenção de acolher, de preservar a sua autoestima e demonstrar respeito, colocamos a criança no centro das nossas prioridades e decisões. E prolongamos uma crença que deveria existir apenas em uma determinada fase da vida.

Respeitar o querer não quer dizer atendê-lo. Acolher o choro não significa evitar o choro a qualquer custo. As pequenas frustrações que vivenciamos na infância são uma oportunidade de fortalecermos os músculos da resiliência para as inevitáveis frustrações que virão no futuro. A angústia, a tristeza, o luto, a decepção e tantos outros sentimentos que sempre consideramos ruins fazem parte da vida de qualquer ser humano. Criar um mundo cor-de-rosa, cercado de almofadas e enfeitado com unicórnios não prepara as crianças para a realidade que encontrarão na vida adulta: a briga com o parceiro ou a parceira amorosa, a demissão do emprego dos sonhos, a perda de um ente querido, que pode, inclusive, ser um de nós. Viver dói, mas isso não precisa, necessariamente, ser um problema. Ensinar que as dores fazem parte da vida, apresentando ferramentas para lidar com elas, é preparar adultos fortes.

Assim que encerramos a nossa conversa, Marina teve a primeira oportunidade de aplicar o que falamos: os limites empáticos. A pequena Luiza queria comer antes do almoço o chocolate que ganhou da avó. Em condições normais, a mãe permitiria, para não lidar com o choro e os gritos da filha. Dessa vez manteve-se firme. Agachou à altura da pequena e informou que poderia comer assim que almoçasse. A menina chorou, como já era esperado. Marina nomeou o sentimento, dizendo que imaginava que Luiza estava frustrada porque queria muito o chocolate e que ela também se sentiria como a filha, se estivesse na mesma situação. Os gritos e choros permaneceram, e a mãe apenas se colocou à disposição de Luiza, para acolhê-la, caso a menina quisesse. Após quase quarenta minutos, a menina pediu um abraço. Marina abraçou a filha da maneira mais acolhedora que pôde, limpou o rosto molhado

> **Respeitar o querer não quer dizer atendê-lo. Acolher o choro não significa evitar o choro a qualquer custo.**

de lágrimas e a convidou para almoçar. Apesar de ter experimentado sentimentos como angústia e medo durante o episódio, ela percebeu que era capaz de equilibrar a assertividade e a empatia na relação com a filha. Com o tempo, as explosões emocionais da Luiza tornaram-se menos frequentes. E a permissividade deixou de ser a regra na família.

AS HABILIDADES DESEJADAS

Peço aos pais e às mães, no início dos treinamentos que dou pelo país, que façam uma lista com as habilidades que desejam ver em seus filhos no futuro. Quem é o adulto que você deseja ver? É interessante que, ao fazer isso, a maioria dos participantes congela. Ouço frases como: "Nossa, que difícil responder." Ou: "Eu nunca pensei sobre isso." A nossa educação é imediatista, por isso enxergamos apenas o presente, esquecendo que estamos educando seres que sairão de casa em breve, cuidando de si e da própria vida sozinhos.

Vivi na casa dos meus pais até os 17 anos, quando mudei de cidade para cursar o ensino superior. De lá para cá, nunca mais voltei. A expectativa de vida do brasileiro é de aproximadamente 76 anos. Se eu viver até essa idade, cerca de 22% da minha vida terá sido com os meus pais. Menos de um quarto. Passamos a maior parte do tempo pensando em formas de conseguir que os filhos façam o que desejamos, nos ouçam, sigam as nossas regras, e nos esquecemos de que essa convivência é muito pequena diante de todo o caminho que percorrerão sem nós.

Ter filhos que colaboram, cumprem as regras da casa, respeitam os mais velhos e os vizinhos é realmente maravilhoso, e não estou dizendo que não devemos buscar alcançar esses objetivos. Apenas quero lembrar-lhe que esses não devem ser os únicos objetivos. A vida vai muito além dos anos que os filhos passarão sob a nossa supervisão. Como estamos preparando as crianças e os jovens para os anos que seguirão longe de nós? Estamos pensando nas habilidades que desejamos ver neles no futuro?

Costumo dizer que plantamos limão e desejamos, de todo o coração, colher lindas, doces e suculentas melancias. A nossa forma

UM NOVO OLHAR SOBRE A EDUCAÇÃO

de educar tem ensinado as habilidades que buscamos ver? Estamos nutrindo o nosso solo com tudo o que as nossas sementinhas precisam? Estamos ensinando os filhos a negociar e a respeitar os próprios sentimentos e necessidades?

Se hoje, neste exato instante, você fizesse uma lista das características do adulto que sonha que o seu filho seja – não profissionalmente, mas como ser humano – e, logo após, lhe pedisse para listar os comportamentos que habitualmente tem com ele, acredita que a segunda lista levaria o seu filho à primeira? As atitudes que você tem hoje são coerentes com o adulto que deseja ver amanhã?

Não é fácil pensar assim, sobretudo porque estamos habituados a pensar que a única fase realmente importante da vida é a idade adulta. Desrespeitamos as crianças, os adolescentes e, posteriormente, os idosos. Esquecemos, no entanto, que todas as fases são importantes e que os adultos que somos são fruto das crianças que fomos. Sigmund Freud dizia que passamos a vida adulta lidando com os resíduos do que vivemos na infância. Não acredito que podemos educar seres livres de feridas emocionais e dores resultantes da educação que receberam. Por mais esforço que façamos, temos as nossas próprias feridas emocionais, e elas interferem na forma de educar. Mas acredito que, quanto mais temos consciência de nós mesmos e da nossa forma de lidar com essas feridas, maiores são as nossas chances de alinharmos a educação que ofertamos com os adultos que desejamos ver.

> **É na infância que os filhos aprendem quem são e começam a traçar a personalidade dos adultos que serão.**

A maioria de nossas crenças, dos nossos votos e das histórias que contamos a nós mesmos veio da infância. Foi lá que aprendemos a nos relacionar com nós mesmos e com o mundo. Foi na infância que você aprendeu o olhar que lança sobre si. Foi lá que aprendeu a lidar com os próprios erros, com os conflitos que surgem em suas relações.

É na infância que os filhos aprendem quem são e começam a traçar a personalidade dos adultos que serão. Não digo, de forma alguma, que o nosso comportamento é determinante na vida dos filhos, já que outras variáveis entram nessa equação – e um mesmo acontecimento pode ter repercussões diferentes em pessoas diferentes. Porém, nosso comportamento é extremamente importante na formação da personalidade dos filhos.

Peter Drucker, o mais reconhecido pensador sobre a globalização e administração moderna, dizia que a melhor maneira de prever o futuro é criá-lo. Como criaremos o futuro que desejamos se não olhamos para ele? Por isso considero essencial sair do imediatismo da educação e pensá-la a longo prazo.

EDUCAÇÃO A LONGO PRAZO

MIGUEL E A RAIVA

Miguel, meu filho mais velho, quando tinha por volta de 2 anos de idade, me batia quando ficava bravo. Ouvi de quase todas as pessoas próximas que eu deveria bater nele para que entendesse que bater dói. Nunca segui o conselho – apesar de sentir vontade inúmeras vezes –, porque considerava incoerente bater para ensinar a não bater. Tenho uma forte tendência à agressividade e já me envolvi em brigas na escola mais de uma vez. Desejava que meu filho aprendesse a lidar com a própria raiva, algo muito mais profundo do que simplesmente ter medo de me bater. Apresentei formas de lidar com o sentimento – falaremos delas mais profundamente no capítulo 2 –, e, perseverando, ele aprendeu. Aos 4 anos, após um desentendimento com um coleguinha da escola, ele chegou em casa e tivemos a seguinte conversa:

— Ele me pirraçou, mamãe. Muito.
— Puxa, filho. Imagino que você ficou muito bravo, né?
— Fiquei com tanta raiva, mas tanta raiva, que fiquei com vontade de quebrar o osso dele!
— Nossa, muita raiva mesmo! E o que você fez?
— Eu *si* afastei...

Sair do imediatismo habitual e buscar alinhar o futuro com as nossas atitudes presentes é isso. É lembrar que muito além de lidar comigo, hoje, meu filho conviverá com uma infinidade de pessoas.

UM NOVO OLHAR SOBRE A EDUCAÇÃO

Como disse anteriormente, lembrar da educação a longo prazo quando estamos em um momento de crise não é fácil, mas sim um esforço diário que é muito valioso.

A RESPONSABILIDADE SOCIAL E OS PAÍSES MAIS FELIZES

— Mãe, quando eu crescer eu quero ser piloto de avião!
— É, filho? Que bacana! E por que você quer ser piloto de avião?
— Porque é muito legal, né, mãe?
— É, é legal, sim. Você já pensou no tanto que o piloto de avião ajuda as pessoas? É uma profissão que cuida de um monte de gente! A profissão que a gente escolhe não é só para a gente, tem que contribuir para a vida das pessoas!
— É, ele leva as pessoas para um monte de lugares. Eu vou ajudar um monte de gente quando eu crescer!

Essa conversa aconteceu na casa de uma amiga, entre ela e o filho de 7 anos. Às vezes esquecemos, mas vivemos em sociedade. A sociedade é a família da nossa família e, como tal, influencia as nossas decisões e é diretamente influenciada por elas. As crianças que hoje educamos desempenharão muitos outros papéis sociais além do de filhos: vizinhos, amigos, colegas de trabalho, chefes. Elas andarão em vários lugares, muitos dos quais talvez nunca possamos conhecer. Estamos educando seres conscientes do seu papel social ou estamos focando apenas em sua carreira profissional? Estamos educando agentes de manutenção ou de transformação do mundo?

Educação não violenta não é modismo, não é invenção de uma comunidade hippie-bicho-grilo-abraçadora-de-árvores, que não pode ser aplicada no cotidiano.

Educação não violenta não é modismo, não é invenção de uma comunidade hippie-bicho-grilo-abraçadora-de-árvores, que não pode ser aplicada no cotidiano. Em 1961, o psicólogo israelense Haim Ginott escreveu sobre educação livre de palmadas, castigos e humilhações. O conceito de inteligência emocional ainda não estava formatado da maneira que o conhecemos, mas Ginott já falava das consequências psicológicas das punições no desenvolvimento humano. No livro *Crianças dinamarquesas*, as autoras Jessica Joelle Alexander e Iben Dissing Sandahl descrevem o estudo que fizeram sobre como a Dinamarca permanece, há mais de quarenta anos consecutivos, sendo considerado o país com as pessoas mais felizes do mundo. O segredo está na forma de educar, baseada na empatia e conversa, na qual os castigos físicos são um crime tipificado em lei.

É em casa que aprendemos como nos relacionar conosco e com o mundo à nossa volta, e esse aprendizado influencia diretamente nossa atuação em sociedade. Não há forma mais coerente e profunda de aprender a respeitar do que sendo respeitado e vendo o respeito dos pais por si mesmos e pelo outro. Até os 7 anos de idade, a grande maioria das nossas convicções sobre como podemos ser amados e aceitos está construída. É na infância que alicerçamos a construção da nossa ética pessoal, é nela que desenvolvemos os votos e crenças que podem nos guiar ao longo da vida. Cuidar da forma como educamos é cuidar do mundo que receberá esses seres mais conscientes de si.

UMA NOVA LINGUAGEM

OS BRINQUEDOS DA CAIXA

A minha sogra encontrou uma caixa com bonecos da infância de Isaac, meu marido. As crianças ficaram eufóricas ao verem a pequena fazendinha colorida. Os brinquedos, ressecados pelos mais de trinta anos guardados, começaram a se quebrar à medida que a brincadeira avançava. Em poucos minutos, o pai, nervoso, começou a reclamar e dizer que não sabiam cuidar das coisas. Eu me aproximei e expliquei para os pequenos:

UM NOVO OLHAR SOBRE A EDUCAÇÃO

— Vocês estão muito empolgados com o brinquedo, e eu preciso falar uma coisa muito importante: esses bonequinhos eram do seu pai quando ele era muito pequeno. Trazem lembranças muito gostosas de sentir, e o papai gostaria que vocês tivessem mais cuidado ao brincar. Pode brincar assim, sem bater um no outro.

Falamos um pouco mais sobre brinquedos especiais, e eles compreenderam o que o pai sentia em relação às pequenas peças de plástico que moraram por tanto tempo na caixa. Eles se conectaram à humanidade do pai. E atenderam ao meu pedido. A nossa forma habitual de falar nos distancia mais do que aproxima. A nossa linguagem é baseada na dor, na vergonha, na humilhação, na culpa. E, por isso, ela é bem pouco eficaz.

Queremos conexão e tentamos buscá-la brigando. Queremos proximidade e fazemos chantagem emocional. Marshall Rosenberg, esquematizador da comunicação não violenta, dizia que a maioria dos nossos pedidos é suicida. Suicida porque, da forma como os fazemos, minimizamos as chances de sermos atendidos. Levantamos, constantemente, a resistência de quem nos ouve. E, se o ouvinte está resistente ao que falo, certamente não se conectará comigo e não terá vontade de me atender. Falar em "vontade de atender o outro" na relação de pais e filhos é quase uma afronta, visto que o senso comum acredita que "criança não tem querer". Quantas vezes, antes de iniciarmos um pedido, pensamos na melhor maneira de fazê-lo? Quantas vezes pensamos nos problemas disciplinares com olhar de curiosidade e buscamos soluções que respeitem as necessidades e os sentimentos de todos? Ou melhor, quando pensamos em nossos sentimentos e necessidades em nosso dia a dia?

No dicionário, "linguagem" significa um meio sistemático de comunicar ideias. Quais sistemas de comunicação estamos criando entre nossos filhos? Que linguagem estamos estabelecendo como a habitual em nossas relações? Um olhar cuidadoso pode nos mostrar o quanto somos corresponsáveis pelos problemas que enfrentamos diariamente. Há que se falar, no entanto, que culpa e responsabilidade são muito diferentes, apesar de muito misturadas no nosso linguajar. Não precisamos da culpa, da sensação de impotência e vergonha que ela nos traz; precisamos sim do poder de escolha que a responsabilidade nos dá e que utilizaremos como base para uma educação mais conectada e menos imediatista. É a partir dela que criaremos uma nova forma de comunicar as ideias dentro da nossa família.

Sobrevivemos, como humanidade, pela nossa capacidade de cooperação e empatia. Somos seres de comunidade, e o pensar no coletivo é algo que nasce em nós, como em todos os outros seres que vivem em grupos. Os nossos filhos querem, tanto quanto nós, viver em paz e harmonia; apenas não estão dispostos a abrir mão de quem são e do que querem. Estabelecer uma linguagem mais consciente e conectada à nossa essência compassiva diminui as resistências – as nossas e as deles. Palavras podem ser muros ou pontes. A escolha é nossa.

RESUMO DO CAPÍTULO

- O mundo mudou: não bastam os conhecimentos externos, o autoconhecimento se mostra cada vez mais importante e necessário;
- O foco da educação não violenta não é a obediência, mas o desenvolvimento da responsabilidade;
- O autoritarismo é emocionalmente insustentável, induz à mentira e à desconexão;
- A permissividade produz crianças pouco resilientes e incapazes de lidar com as frustrações que inevitavelmente acontecerão ao longo da vida;
- A educação precisa ser pensada a longo prazo. As habilidades que desejamos ver em nossos filhos no futuro devem ser ensinadas e treinadas no presente;
- Educar sem palmadas não é modismo. O país mais feliz do mundo há quarenta anos, a Dinamarca, baseia a educação das crianças em métodos não violentos;
- Somos corresponsáveis pelos conflitos que vivemos no dia a dia. A linguagem pode contribuir para a conexão ou criar resistência em quem nos ouve.

OS SENTIMENTOS DO SEU FILHO

2

Enquanto os participantes chegam aos poucos e se acomodam, eu observo os meus parceiros de jornada das próximas horas. Observo os rostos: alguns ansiosos, outros nervosos, outros descrentes. O grupo é em sua maioria feminino – o que é, aparentemente, a regra nesses eventos. Concluídas as apresentações iniciais, informo que falaremos sobre sentimentos. Um burburinho toma conta do ambiente. Falar de sentimentos não parece algo confortável. A maior parte dos olhares me diz: "Vamos para a prática, eu quero é saber o que fazer quando o barco está afundando!", "Não vim aqui para isso!".

Digo que os sentimentos influem diretamente em nosso comportamento, e a forma como estão se sentindo hoje terá influência direta no modo como receberão o que digo. Os sentimentos são bússolas: eles apontam para as nossas necessidades que estão ou não sendo atendidas; seguir sem olhar para eles é andar perdido. Eles dizem muito. Estamos acostumados a dizer para as crianças o que é uma mesa, uma cadeira, para que serve um lápis, mas não estamos acostumados a dizer-lhes o que é a tristeza, a angústia, a frustração, a raiva. Nesse denso e assustador mundo interno, esperamos que elas se aventurem sozinhas. Somos analfabetos emocionais educando novos analfabetos emocionais.

A sala fica em silêncio. Todos agora me olham, querendo entender aonde vou chegar. Ninguém fala que os nossos sentimentos são importantes. Ninguém sequer nos diz que os sentimentos podem existir. Mas eles existem, e seguem pulsando forte em nós. E, por mais que não seja um costume parar para pensar nisso, os sentimentos também pulsam forte em nossos filhos. E uma criança que se sente bem se comporta bem.

Por mais de duas horas falei da importância de sentir, trocando experiências com os participantes. Em poucos minutos alguns tinham os olhos cheios de lágrimas, incluindo os dois únicos homens do grupo. Naquela roda, na qual nos permitimos admitir as nossas vulnerabilidades, percebemos que as emoções nos movem e regem a nossa forma de ser e estar neste mundo. Percebemos, também, que nunca aprendemos a lidar com elas. Compartilhando as nossas histórias de infância, uma linha nos unia e, entre risos e lágrimas, percebemos que essa ausência de sabedoria no manejo do próprio sentir nos deixou sequelas nos relacionamentos, no trabalho e em muitas outras situações na vida. Ao estabelecerem essa conexão com as próprias dificuldades e inabilidades, os pais ganhavam um porquê ainda maior para desenvolver uma nova forma de educar os próprios filhos. As resistências diminuíram. Falar dos sentimentos dos filhos adquiriu um novo significado. Mais receptivos do que nunca, seguimos.

A IMPORTÂNCIA DA INTELIGÊNCIA EMOCIONAL

O termo *inteligência emocional* é recente. O primeiro livro a abordar o tema como o conhecemos hoje foi publicado em 1995, por Daniel Goleman. Até então a inteligência era medida por parâmetros que não consideravam as emoções e as habilidades sociais. Hoje em dia o tema é largamente aceito e difundido na comunidade científica, na área de educação e, principalmente, no mercado profissional. Inteligência emocional compreende a capacidade de reconhecer e lidar com os próprios sentimentos e emoções, utilizando-os a seu favor, bem como a habilidade de compreender e lidar com os sentimentos e emoções do outro.

John M. Gottman e Joan DeClaire, no livro *Inteligência emocional e a arte de educar nossos filhos*, descrevem os resultados de um estudo que realizaram comparando crianças educadas por pais considerados "preparadores emocionais" e pais que ignoravam a importância das emoções. As crianças educadas por "preparadores emocionais" tinham uma quantidade menor de cortisol – hormônio diretamente envolvido na resposta que o organismo dá ao estresse –

OS SENTIMENTOS DO SEU FILHO

na urina. Adoeciam menos, tinham o sistema imunológico mais forte e tinham menos problemas respiratórios. Eram crianças mais maleáveis e resilientes e possuíam maior capacidade de sair de um estado emocional. Em um teste de incêndio, por exemplo, foram capazes de realizar todos os procedimentos de praxe e, poucos minutos depois, concentrarem-se em uma aula de matemática, enquanto os demais seguiam eufóricos e emocionalmente instáveis por mais tempo.

Nós somos seres emocionais. Os sentimentos fazem parte de quem somos, por mais que tenhamos aprendido que são completamente inúteis e podem ser desativados quando quisermos. O grande paradoxo em nossa forma de lidar com o sentir é que, quanto mais fugimos de um sentimento, mais tempo ficamos com ele. Não somos estáticos, e as emoções vão e vêm dentro de nós. Um sentimento dura entre três e trinta minutos, se vivenciado. Se a cada vez que a tristeza, ou a angústia, ou a euforia aparecessem nós simplesmente ficássemos com elas, sem rejeitar a sua existência, sem contar histórias a seu respeito, se simplesmente ficássemos com o bolo no estômago, o nó na garganta, o aperto no peito, perceberíamos que não duram muito. Rapidamente mudam, movem-se, dissipam-se. E dão lugar a outro sentimento. No entanto, se a nossa atitude é fingir que esse sentimento não existe, ele permanece por muito mais tempo "rodando em segundo plano". Quando nos esforçamos em não sentir, gastamos energia em algo impossível, em uma luta inútil. Assim que paramos e "baixamos a guarda", o sentimento volta com mais força. É como um boleto não pago guardado em uma gaveta. Por mais que não estejamos olhando para ele, a conta continua sem ser paga, com os juros crescendo a cada dia.

> **É nossa responsabilidade, como pais e mães, ensinar que todos os sentimentos são aceitos, algumas atitudes não.**

É nossa responsabilidade, como pais e mães, mostrar para os filhos que sentir faz parte da existência e que as frustrações que começam a aparecer por volta dos 8 meses irão acompanhá-los por toda a vida. É nosso dever, se desejamos que sejam pessoas emocional e fisicamente saudáveis, ensinar que todos os sentimentos são aceitos, algumas atitudes não. Ensinar a consciência, em vez do entorpecimento. E essa missão não é nada fácil, sobretudo porque não fomos educados para isso. É o esforço de ensinar enquanto se aprende. Considero importante lembrar que orientar o sentimento não é se empenhar em fazer a criança feliz. Nós não nascemos somente para a felicidade. Nossos filhos também não.

ENTENDENDO A BIRRA E O CHORO SEM MOTIVO

UMA EXPLOSÃO DE FRUSTRAÇÃO

Estávamos no intervalo do workshop e eu conversava com algumas participantes. A filha de uma delas, uma criança de cerca de 18 meses, aproximou-se, pedindo suco. A mãe, que estava com um copo cheio na mão, bebeu a metade e ofereceu o restante para a filha, já que a pequena poderia derramar o excesso de líquido. O choro alto veio logo em seguida. A menina chorava forte, com o corpo todo. Ela se jogou no chão, empurrou o copo, gritando: "Não!" As bochechas da mulher ficaram imediatamente vermelhas; ela estava nitidamente envergonhada com o comportamento da criança.

— Está vendo o que ela faz? Que motivo tinha para esse choro?

Eu sorri, amigavelmente, com a intenção de mostrar que estávamos entre pais, e todos sabíamos que aqueles episódios acontecem, com uma frequência maior do que desejamos.

— Quando ela pediu o suco, o copo estava cheio. Ela criou a expectativa de receber um copo de suco, não meio copo. Entenda, não estou dizendo que está errada ou certa, não estamos nesse campo. Só quero que você perceba que ela está frustrada, como qualquer um de nós fica quando as expectativas não são atendidas.

OS SENTIMENTOS DO SEU FILHO

— Nossa, eu nunca tinha pensado nisso. Faz sentido.

— Empatia é um exercício; com a prática a gente vai ficando cada vez melhor.

Ela sorriu, aproximou-se da filha e a acolheu. Sem o olhar do julgamento, pôde se comunicar com a criança, não com as histórias que alimentava em sua mente. Saíram para que a pequena se acalmasse e, minutos depois, as duas voltaram tranquilas.

Na maior parte das vezes, na maioria das famílias, esse acolhimento não acontece. Não aprendemos a criar empatia com o outro, sobretudo com a criança, e julgamos seu choro indevido, inadequado ou desnecessário. Acreditamos que devemos permitir apenas o choro para o qual vemos sentido. Do contrário, o choro deve ser violentamente reprimido. A partir do nosso analfabetismo emocional, nós nos recusamos a ajudar a criança a lidar com os próprios sentimentos. O comportamento comum de pais e mães é gritar, brigar, às vezes bater.

A birra, por exemplo, é uma explosão emocional. As emoções são tão intensas e fortes na criança que ela simplesmente não dá conta de lidar adequadamente com elas. Físico e emocional se fundem, e o corpo dói. Perceba que, na maior parte das vezes, após o choro demorado, ela dorme. A criança que chora não precisa de julgamento ou repressão, mas de acolhimento. Mais uma vez repito: acolher e atender são coisas muito diferentes. Aceitar o sentimento que surge, sem determinar se é bom ou ruim, não significa dar à criança o que ela quer, para que não chore.

O que esperamos que uma criança faça após ouvir um "não"? "Obrigada, mamãe, por cuidar de mim! Muito sensato da sua parte! Que supermãe você é!". É claro que isso não irá acontecer. Você costuma aceitar com resiliência, sabedoria e brandura as suas frustrações e tristezas? Por que acredita que uma criança, que chegou há pouco tempo no mundo, teria a capacidade emocional de lidar com o que sente? Se analisarmos com tranquilidade e equilíbrio esses momentos, perceberemos que as nossas expectativas sobre a criança são irreais e, por vezes, muito superiores às nossas próprias capacidades.

Nos próximos capítulos vou dividir com você formas de lidar com os sentimentos dos filhos. Mas antes disso quero analisar alguns pontos importantes.

OS CINCO PRINCIPAIS ERROS QUE COMETEMOS DURANTE UMA CRISE DE CHORO

1. MENOSPREZAR OS SENTIMENTOS.

Infelizmente, é muito comum, diante de sentimentos que consideramos desnecessários e inadequados, expressarmos a nossa opinião, travestida de verdade absoluta: "Não precisa chorar", "Que choro falso, não estou vendo lágrimas", "Pare de exagero" e similares. Às vezes, acrescidos a essas falas vêm os rótulos (chorão, escandaloso, mimado – falaremos deles no capítulo 3) e as agressões físicas. A criança passa a associar sentimentos negativos ao próprio sentimento e acrescenta mais camadas de dor ao que sente. A grande maioria dos adultos que recebeu esse tipo de reação dos cuidadores fica triste por estar triste. Conta para si mesma que não deveria sentir o que sente.

2. DAR EXPLICAÇÕES.

Existe o momento ideal de filosofar sobre a vida, com a criança, ou de conversar com ela sobre o motivo de um pedido ter sido negado. A melhor hora não é quando elas estão instáveis emocionalmente, pouco receptivas a novas informações. Vejo, na maioria dos pais e das mães que buscam uma educação baseada no diálogo, a tendência a falar demais no momento do choro. Quando nós, adultos, estamos chateados, tristes ou angustiados, não estamos dispostos a ouvir. Com a criança não é diferente. Da mesma forma que não se ensina a nadar quem está se afogando, o melhor momento de conversar sobre algo que levou a criança a uma crise de choro é depois que todos, pais e filhos, estiverem mais calmos e conscientes para essa

OS SENTIMENTOS DO SEU FILHO

conversa. Só assim será possível apresentar outras formas de lidar com a situação, caso ela ocorra novamente.

3. DAR CONSELHOS.

Pais têm uma intensa mania de aconselhar. Consideramos ser a nossa função resolver todos os problemas dos filhos, e falar como devem agir diante das situações se torna quase inevitável. Conselhos bloqueiam a empatia e minam a autonomia. Não estou dizendo que nunca daremos conselhos, mas que o faremos no momento em que as crianças estiverem mais receptivas, o que geralmente acontece após terem sido ouvidas.

4. ATENDER TODOS OS PEDIDOS DA CRIANÇA OU RESOLVER OS PROBLEMAS POR ELA.

"Dá logo, para ela parar de chorar!", "Faz o que a criança está pedindo, coitadinha", "Vem, a mamãe faz o que você quer!". Diante da incapacidade de lidar com as lágrimas das crianças e, sobretudo, com o que lhes desperta, alguns pais tendem a silenciar o choro satisfazendo a todas as vontades dos pequenos. A curto prazo essa atitude pode parecer eficaz,

Quando nós, adultos, estamos chateados, tristes ou angustiados, não estamos dispostos a ouvir. Com a criança não é diferente.

mas pode ter como consequência tornar as crianças excessivamente exigentes e insatisfeitas, e os adultos, pouco resilientes, incapazes de lidar com as inevitáveis frustrações da vida.

5. IGNORAR OS SENTIMENTOS.

Em uma linha de raciocínio muito semelhante à que apresentamos no tópico 1("Menosprezar os sentimentos"), ao ignorar os sentimentos consideramos que são indevidos e inadequados e que, se não dermos atenção, eles irão desaparecer como mágica. Insistir em ignorar os sentimentos é educar pessoas incapazes de lidar consigo mesmas.

Todo choro, toda atitude e toda fala infantil está nos transmitindo algo. Só conseguiremos entender essa mensagem codificada se reconhecermos que ela existe. Enquanto nos comunicarmos a partir de rótulos, nós nos afastaremos da real causa dos maiores problemas disciplinares e, consequentemente, das soluções.

RECONHECENDO E NOMEANDO OS SENTIMENTOS

MÔNICA E IGOR

Mônica me procurou angustiada com os problemas de comportamento de Igor, de 2 anos e meio, sobretudo com o irmão recém-nascido. Segundo a mãe, o menino era malvado com o caçula, e isso a preocupava bastante. Ela nunca conversou com o filho a respeito dos sentimentos de rejeição que, muito provavelmente, ele sentia pelo irmão ou sobre a insegurança que a nova vida lhe trouxe. Na realidade, como a maioria das mães bem-intencionadas, em suas conversas com o primogênito Mônica apenas falava que nada havia mudado, que o irmão seria seu melhor amigo e ele precisava cuidar do recém-chegado; isso quando não surgiam os rótulos de "malvado" e "ruim" para Igor. O comportamento do menino se agravou, e os pais passaram a lhe dar palmadas e a colocá-lo de castigo todas as vezes que mexia com o irmão. Isso fazia crescer em Igor o rancor, o sentimento de inadequação, a insegurança e o desejo de vingança. Conversamos sobre os sentimentos do filho mais velho e no quanto a chegada de uma nova criança abalou a rotina familiar. Após algumas orientações, Mônica e Igor tiveram a seguinte conversa:

— Filho, eu imagino que você esteja confuso e triste. A mamãe já não tem tanto tempo para brincar, muita gente tem chegado aqui em casa e o seu irmão chora bastante. Não é fácil lidar com tanta mudança.

OS SENTIMENTOS DO SEU FILHO

— Eu não gosto dele, não.

— Puxa, imagino...

— Quero que ele vá embora!

— Entendo que queira isso. Tem dia que é legal ter irmão, tem dia que não. Eu também sentia isso com o seu tio, sabia?

— É?

— Sim!

Seguiram conversando por algum tempo. Mônica reconheceu as mudanças, ouviu as reclamações e os sentimentos, expressados da maneira que uma criança de 2 anos e meio é capaz de fazê-lo, e afirmou que o amor que o pai e ela sentiam pelo pequeno continuava imenso, citando situações que mostravam para ele o quanto era especial. Igor foi estimulado a se aproximar do irmão, auxiliando nas trocas de fralda e banhos, e os rótulos de "malvado" saíram da rotina, visto que agora os pais percebiam que apenas agravavam o mau comportamento e aumentavam a rivalidade. Os pais se revezavam para dar atenção e carinho, auxiliando na adaptação à nova realidade. Com os seus sentimentos reconhecidos e validados, Igor passou a se comportar melhor.

O nosso analfabetismo emocional nos faz acreditar que, se vivenciarmos os sentimentos, eles nos empurrarão para uma espiral de dor, da qual nunca mais sairemos. E, se validarmos os sentimentos das crianças, elas chorarão por uma eternidade. Na verdade, é justamente o contrário. Se compreendo que os sentimentos das crianças interferem diretamente no seu comportamento, quanto mais rápido lido com eles e permito que existam, mais rápido eles se esvaziam e dão lugar para um novo sentir.

Aprendemos a falar com a criança "Não faça isso com o amiguinho. Você gostaria que agissem assim com você?", pois imaginamos que estamos estimulando a empatia. No entanto, essa frase apenas coloca a própria criança no centro da situação. Ao contrário, dizer "Meu bem, não faça isso porque o amiguinho não gosta que o tratem assim" é estimular a empatia. No zen-budismo, diz-se que somos semelhantes, não iguais. Pensar se eu gostaria que agissem assim comigo é acreditar que o outro pensa e sente igual a mim, o que não é verdade. Todos nós temos sentimentos e necessidades semelhantes como humanos, no entanto, a intensidade e os gatilhos para cada sentimento são muito particulares. Para reconhecer e nomear o sentimento de uma criança, é preciso sair dos próprios sentimentos, enxergar além do "o que eu estaria sentindo?" e partir para "o que essa criança está sentindo?".

Um amigo me contou que guarda muitas mágoas da infância, devido à forma como o pai falava com ele. O irmão mais velho era explosivo e intenso, da mesma maneira que o pai. Meu amigo, muito diferente. Sensível, falava baixo – como faz até hoje – e com tranquilidade. O pai, acostumado com os enfrentamentos do filho mais velho, utilizava com meu amigo o mesmo tom de voz e a mesma reatividade. Situações que o irmão mais velho levava como naturais o dilaceravam. Brincadeiras que pareciam inofensivas para os outros o magoavam profundamente. O pai imaginava que, como não se ofendia facilmente, podia agir de igual maneira com todos. Esse é o grande problema de esquecermos que somos semelhantes, não iguais.

Esclarecido esse ponto, nomeie os sentimentos da criança. Dar nome ao que ela sente, além de ampliar o repertório emocional, gera conexão, demonstra que entendemos o que ela está vivenciando. A dificuldade, para a maioria de nós, é encontrar nome para os sentimentos, visto que nós, adultos, em geral nomeamos o que estamos sentindo de forma genérica, com adjetivos como "bem" ou "mal", "feliz" ou "triste". Se, neste exato momento, papel e caneta lhe forem entregues para que você escreva as suas impressões sobre este livro, provavelmente não faltarão adjetivos: "interessante", "entediante", "instigante" ou "chato". No entanto, se, em vez de indicar suas impressões, fosse solicitado que você liste o que está sentindo agora, proibindo o uso de palavras e expressões que expressam não um sentimento em si, mas um julgamento – como "bem", "mal", "triste", "feliz" e "sinto que" –, provavelmente as palavras lhe fugiriam. O nosso vocabulário para rotular o outro é muito mais extenso do que as palavras que utilizamos para definir o que sentimos. O nosso conhecimento sobre o mundo fora de nós é muito maior do que sobre o mundo dentro de nós. No momento em que precisamos nomear o que a criança sente, percebemos esta pouca habilidade. Diante disso, o melhor é pesquisar, de forma a ampliar o próprio repertório.

Importante lembrar que precisamos adequar o que falamos à idade e à capacidade de compreensão de quem nos ouve. Veja alguns exemplos:

CRIANÇA DE ATÉ 2 ANOS:

— Você está muito frustrado, não está conseguindo empilhar os bloquinhos!

CRIANÇAS COM MAIOR CAPACIDADE DE COMPREENSÃO:

— Imagino que esteja muito frustrada, filha. Montar esse brinquedo é muito importante para você, e ele não está ficando estável como gostaria.

COM UM ADOLESCENTE:

— Putz, você deve estar superfrustrada com o resultado da prova... se esforçou tanto e estava tão ansiosa!

Nomear o sentimento, em vez de negá-lo ou ignorá-lo, é transformar as palavras em uma ponte. Não tenha medo de nomear o sentimento de maneira equivocada. À medida que a criança desenvolve a consciência do que sente, ela direciona a percepção para o sentimento correto. A intenção não é acertar de primeira, mas investigar junto o que passa dentro deles. Quando sentem que são compreendidas, em regra, as crianças falam. Contam como se sentem, o quanto estão tristes, o quanto queriam muito algo.

Escute atentamente. Sem celular, sem TV, sem distrações. Não interrompa, não aconselhe, não menospreze, não pergunte. Apenas escute e, caso sinta necessidade de falar algo, utilize poucas palavras: "Oh...", "Puxa..."

Espelhe o sentimento. Repetir o que a criança fala, com palavras muito semelhantes, faz com que ela sinta-se compreendida e escutada. Por exemplo, quando ela diz: "Eu queria muito brincar com os meus amigos hoje!", você pode dizer: "Imagino o quanto você queria brincar com os seus amigos, é tão legal estar com eles!". Pense como a criança está se sentindo para levá-la a falar assim: "Eu sou muito boba!". Tente expressar: "Puxa, você parece muito decepcionada com o que aconteceu hoje."

Em regra, respondemos a frases como "Eu sou feia!", "Odeio você!", "A vovó é chata" negando o que a criança diz. "Você não é feia, você é tão linda!", "Ei, você me ama, não fale isso!", "A sua avó é muito legal!". Isso não valida o sentimento da criança ou a orienta a lidar com ele caso apareça novamente. É possível dizer: "Vejo que não está feliz com a sua aparência hoje. Quer falar sobre isso?", "Entendo que esteja muito chateada por eu não ter te deixado sair; estou disposta a conversar quando você utilizar outras palavras", "Imagino que a sua avó tenha feito algo que te desagradou. Quer me contar o que houve?". Perceba que, em nenhuma das situações citadas, o cuidador concorda com a criança, apenas espelha o que ela sente, demonstrando que compreende o que fala.

Nem todas as nossas interações pedem essa escuta empática – seria insustentável fazê-lo. As situações em que necessitam de empatia são muito claras, pelo olhar, pela forma que agem, pelo comportamento que foge ao comum. Na rotina sobrecarregada que em regra vivemos, nem sempre há tempo para a escuta ativa. Se percebemos que não há tempo para uma conversa porque estamos atrasados para um compromisso importante, é muito mais honesto que sejamos sinceros com a criança. "Filho, vejo que está muito triste porque não levaremos o cachorro conosco. Nesse momento não posso falar sobre os seus sentimentos com toda a atenção que eles merecem. Quando chegarmos eu quero ouvir tudo que tem a dizer." A mesma honestidade deve ser aplicada em situações em que estamos emocionalmente abalados. Às vezes o nosso estado emocional está tão fragilizado

> **Espelhe o sentimento. Repetir o que a criança fala, com palavras muito semelhantes, faz com que ela sinta-se compreendida e escutada.**

que não há espaço para a escuta, e isso deve ser comunicado para a criança. "Meu bem, estou muito angustiada agora. Preciso de um tempinho para respirar e me equilibrar. Sinto muito não poder te ouvir. Prometo que assim que melhorar vamos conversar sobre o quanto está chateada com o que aconteceu." Em ambas as situações, cumpra o combinado e retome a conversa assim que possível.

O PODER DA IMAGINAÇÃO

MIGUEL E O FOGUETE

O dia começou como qualquer outro, exceto pelo fato de que Miguel, o meu filho mais velho, queria um foguete de papelão que fizemos e, havia mais de dois meses, joguei no lixo, pois esquecemos no quintal de casa, na chuva. As solicitações infantis não têm hora para aparecer e é impressionante como, por vezes, precisamos exercitar a nossa paciência nos primeiros instantes do dia.

— Mãe, eu quero o meu foguete.
— Filho, tem aquela bola colorida, quer?

A minha tentativa de desviar a atenção do foguete não funcionou. Ele queria o foguete e, ao lembrar que esquecemos no quintal, começou a chorar pedindo-o de volta. No dia em que joguei o brinquedo fora eles foram informados e me ajudaram a colocá-lo no saco, já que costumo mostrar que na vida as nossas escolhas trazem consequências, e a consequência natural de deixar os brinquedos espalhados pelo quintal é que estraguem.

— Eu quero o meu fogueteeeeee!
— Filho, imagino que esteja frustrado por procurar o foguete e não encontrar. Sinto muito.
— Mas eu quero. Eu quero!

44   EDUCAÇÃO NÃO VIOLENTA

— Ele era muito legal de brincar, entendo que você queira muito!

— Era muito legal!

— Imagina se a gente tivesse uma caixa de papelão gigante?! A gente ia poder fazer um foguete bem grandão que ia caber a família inteira.

Ainda chorando, ele me olhou desconfiado. Segui empenhada em imaginar:

— Eu ia querer ficar na frente, nas primeiras janelas, pertinho do piloto! E você e Helena poderiam pilotar!

— Ia caber as vovós, né, mãe? E meus amiguinhos!

O choro se dissipou e, por alguns minutos, imaginamos a nossa viagem no espaço sideral, em um foguete feito por nós, na companhia de todos que amamos. Sem receber resistência ao seu sentimento e realizando-o na sua imaginação, o pequeno se acalmou.

O nosso corpo não diferencia o que imaginamos do que vivemos. Por isso, pensar em um limão faz com que a boca se encha de água, como se estivéssemos realmente provando a fruta azeda. Planejar uma viagem, imaginando como será estar nos lugares que desejamos, traz mais prazer do que a própria viagem, já que na imaginação não existem os imprevistos que podem ocorrer na realidade. Se utilizássemos o poder da imaginação no cotidiano, muitos dos problemas que enfrentamos com as crianças seriam evitados. Poucas crianças resistem a embarcar no mundo fantástico da fantasia. Esquecemos que são seres essencialmente imaginativos e desejamos que entendam e aceitem os nossos argumentos sem questionar. Imagine a seguinte cena, com a qual a maioria de nós se identifica: no carro, passeando pela cidade, estão pai, mãe e a criança. Parados no semáforo, a mãe observa um carro de luxo ao lado:

— Nossa, como eu queria um carro desse! – afirma, pensativa.

— A gente ia brigar para dirigir! – responde o marido, sorrin-

OS SENTIMENTOS DO SEU FILHO 45

do, e continua: — Amor, está fazendo um calor... Estou com tanta vontade de voltar àquele hotel a que fomos no verão! — Queria morar naquele hotel! Ele é incrível!

Seguem relembrando os dias no hotel e imaginando o carro dos sonhos. Poucos minutos depois, a criança fala:

— Mamãe, eu quero sorvete!
— Você não pode tomar sorvete hoje! – responde a mãe.
— Você estava gripado até ontem, esqueceu? – complementa o pai.

A diferença de tratamento é imensa. Quando a mãe afirma desejar o carro de luxo, e o pai, a viagem do verão, não recebem qualquer resistência. Não há: "Você sabe quanto custa o IPVA desse carro?" ou "Aquela diária é absurda, sem chance!". Ambos apenas sabem que os desejos estão no campo do querer, do abstrato. O querer dos filhos, no entanto, consideramos exigências que precisam ser atendidas ou repelidas com veemência. Se lidássemos com eles da mesma forma que faríamos com um amigo, o diálogo seria:

— Também queria sorvete! Acho que eu ia escolher de maracujá! E você? Deixe-me adivinhar!... Chocolate? – responde a mãe.
— O meu preferido é o de coco – fala o pai.
— Hum, eu ia querer de dois sabores! – suspira, empolgada, a criança.

Na maioria das vezes, "Eu quero" substitui "Eu pensei", "Eu lembrei". Se não encontrar resistência, o desejo é esquecido de forma muito rápida. Além disso, validar o querer das crianças é não limitar os seus sonhos, as suas capacidades e, consequentemente, as suas realizações. Aceitar o querer e embarcar na fantasia nos poupa energia e transforma uma situação potencialmente desgastante em algo divertido.

OS QUERERES E O AQUECIMENTO GLOBAL

Encerrei o workshop, e o meu voo estava agendado para o comecinho da manhã do dia seguinte. Decidi aproveitar o tempo livre visitando os pontos turísticos da cidade. No evento, eu havia falado de algo que utilizo em minha casa, com os meus dois filhos, e que sempre indico aos pais: uma lista de desejos. Todas as vezes que passeamos no shopping ou entramos em uma loja de brinquedos, as crianças sabem que podem querer qualquer coisa e que anotaremos todos os desejos nas respectivas listas de desejos. Não é uma lista do Papai Noel, com data para compra. É uma lista que existe pura e simplesmente para dar asas aos desejos e à imaginação. É a minha forma de dizer que no campo do sonho e dos quereres tudo é possível. Anoto todos os desejos com os detalhes que julgam importantes e, apenas por terem reconhecidos os seus quereres, eles se satisfazem. Raramente ocorre um "Eu queria hoje, compra!". E, se ocorrer, terão a frustração acolhida.

Eu estava hospedada na casa da organizadora do evento. Assim que retornei, no finalzinho da tarde, ela me disse que a lista havia salvado o seu dia. Na mesa da sala, estavam três listas coloridas, com o nome das crianças e cheias de anotações. Com três crianças de 3 a 8 anos, ela lidava com quereres o dia inteiro e, em regra, esforçava-se para falar de consumismo, aquecimento global e excesso de lixo todas as vezes que ouvia um "Eu quero!". Pela primeira vez não ouviu "Mas eu quero!", seguido de choros sentidos.

Explicar sobre o aquecimento global, falar sobre a importância de cuidarmos do planeta e sobre o impacto do consumo desenfreado sobre nossa vida e na de gerações futuras é essencial. O conceito de sustentabilidade deve fazer parte da educação, mas não no momento em que estão pedindo um brinquedo novo. As reflexões sobre o que desejamos, as formas de obter o que desejamos e as consequências do que queremos, bem como as justificativas das nossas negativas, são importantíssimas e precisam fazer parte da rotina da família. Normalmente, depois de passada a crise, os pais não querem voltar ao assunto e refletir sobre ele, mas é exatamente no momento da calmaria que estamos todos, pais e filhos, mais abertos para uma conversa produtiva.

SENTIMENTOS DESAFIADORES

RAIVA, NUVENS E RAIOS

— Mãe, você pode vir aqui?

— Diga, filho.

— Eu quero falar com você. Eu briguei com você hoje. Eu sei que não posso ameaçar, que não posso gritar. Eu sei, mãe! Mas quando a raiva vem, ela vem me tomando todo. É como se fosse uma nuvem de chuva, daquelas bem pretas, sabe? Ela toma a minha barriga, meus braços, minhas pernas. Ela toma meu cérebro. Dói aqui, ó, na testa. Eu peço para ela ir embora, mas ela não vai. E ela manda embora os outros sentimentos e as lembranças do que eu tenho que fazer. As lembranças de você, de mim, de Nena, do papai. Aí eu fico brigando, porque eu esqueço de tudo. Parece um monstro que sobe, assim, ó, do pé até a cabeça. E que fica mais aqui na barriga, parecendo que tem alguém apertando a barriga. Na escola eu não brigo, porque a raiva é uma nuvenzinha pequena aqui dentro de mim, aí eu consigo lidar com ela. Mas aqui não, aqui tem Nena, tem papai, tem você, e eu vou ficando mais nervoso e irritado. Tem dia que vocês me irritam muito. Aqui a nuvem é mais e mais forte, mãe. Eu tento, mas quando eu vejo parece um raio que sai com força e eu começo a brigar. Um raio com muita força mesmo. Eu sei que a raiva é minha e eu que tenho que lidar com ela... é que é tão difícil! E quando você ou o papai gritam, eu fico um pouquinho triste, aí a raiva cresce. Ela tira a tristeza e fica ainda maior. E aí eu não quero ir para o cantinho da calma, eu não quero nada, entende?

Meu filho tinha 5 anos quando tivemos essa conversa. Foi interessante perceber a clareza com que descrevia o sentimento que sempre considerei mais desafiador: a raiva. A grande maioria dos pais que atendo falam que, por mais que estudem e queiram mudar, se descontrolam em segundos. Todos nós temos esse monstro que sobe do pé à cabeça e que, se não estivermos atentos, toma conta de tudo. Em alguns esse monstro só é despertado em situações muito extremas, em outros ele tem um sono leve, e isso não faz de ninguém bom ou ruim. As pessoas são o que são. Por que acreditamos que as crianças podem lidar com ele sozinhas? Por que acreditamos que conseguirão lidar com sentimentos desafiadores, como a raiva, a frustração, a euforia – que é também um sentimento que nos coloca em extremos –, com a ansiedade? Falamos para um filho que ele não pode bater quando estiver bravo e nos esquecemos de orientá-lo como extravasar toda a raiva que está sentindo. O que fazer com o coração que acelera e parece querer pular do peito? O que fazer com a corrente elétrica que percorre o corpo, deixando-o tenso e pronto para o combate?

Todos os sentimentos são aceitos; não existe sentimento bom ou ruim, sentimento proibido ou permitido. Eles existem e surgem dentro de nós sem que tenhamos qualquer controle. Imaginar que podemos controlar o que as crianças sentem é uma ilusão e uma atitude contraproducente; é necessário apresentar formas adequadas de lidar com o sentir. Aceitar os sentimentos não significa aceitar todas as atitudes que vierem em decorrência deles. Todos os sentimentos são aceitos, e algumas atitudes precisam de um direcionamento. É importante que as crianças adquiram responsabilidade pela forma como agem diante do que sentem e que, apesar de não escolher os sentimentos que aparecem, elas saibam que podem escolher a forma de agir diante do que surge. Existem formas saudáveis e não violentas de extravasar a raiva. Bater em um joão-bobo, rugir como um leão, bater palmas, pular, desenhar o que sente, escrever sobre o que sente. Precisamos entender que, assim como orientamos as crianças para o uso adequado de uma faca, precisamos orientá-las para o manejo da própria raiva, ansiedade e frustração, deixando claro que os sentimentos delas são responsabilidade delas mesmas, e não um passe livre para agir como quiserem com as outras pessoas.

ELLEN E PEDRO

Ellen estava enfrentando problemas com o pequeno Pedro. O menino, sempre que ficava bravo, mordia. Quando conversamos, ela já havia apresentado outras formas de lidar com a raiva, mas o pequeno, de quase 3 anos de idade, continuava mordendo, ora quem estivesse por perto, ora si mesmo. Dizia que morder o acalmava. Diante dessa informação, ofertada pelo próprio menino, sugeri à mãe uma abordagem diferente. Um mordedor da raiva. Ellen e Pedro tiveram uma conversa sobre a raiva, sobre como ela aparece e o que desperta dentro de nós. Depois foram juntos escolher um mordedor, daqueles próprios para bebês, para morder sempre que a raiva fosse muito forte. Paralelamente a isso, fizeram alterações no tempo que o menino passava exposto a telas – o que comprovadamente causa mais irritação –, na rotina de sono e no tempo livre para brincar. Os momentos de raiva diminuíram e novas ferramentas foram utilizadas na família. Pedro agora raramente morde alguém ou si mesmo quando está bravo.

Na educação tradicional, aprendemos que alguns sentimentos são ruins, indevidos e que, se aparecem em nós, temos algum *defeito de fábrica*. Somos ruins, malvados ou inadequados. Exatamente por serem tabus nas famílias, nós não aprendemos a lidar com eles, e nos comportamos de maneira indevida quando aparecem. Nós só desenvolvemos ferramentas para lidar com o que assumimos que existe. Só transformamos o que aceitamos. Atendo mães que não aceitam a própria raiva como algo natural e humano, e, cada vez que esse sentimento aparece, travam uma luta interna com ele. Essa briga interna, acrescida ao conflito externo com a criança, resulta em uma explosão emocional, em atitudes impensadas e, posteriormente, em muita culpa. Se, em vez de repudiarem o próprio sentir, passassem a acolhê-lo, seriam mais capazes de descobrir formas saudáveis de lidar com ele. A raiva é um sentimento de segundo plano, não existe por si só. É a capa encobrindo um sentimento que lhe dá causa. Se não lidamos com ela, não encontramos sua causa, e a raiva aparecerá com frequência ainda maior. Insisto tanto em falar dos sentimentos porque acredito que, se a nossa educação tivesse sido direcionada à inteligência emocional, muitos dos problemas que enfrentamos nos relacionamentos, na educação dos filhos e na vida em sociedade não existiriam.

AUTORRESPONSABILIDADE PELO SENTIR

ANA

Uma semana depois de sua primeira consulta, Ana enviou uma mensagem perguntando se poderia encaixá-la na agenda, pois precisava de um novo encontro com urgência. O filho, de 3 anos, era uma criança tranquila, com questões muito comuns no comportamento, e o pedido me despertou estranhamento e preocupação. Marcamos para dois dias depois. Com lágrimas nos olhos e voz embargada, ela me contou que bateu na criança. Os dias estavam sendo muito difíceis, o filho não estava colaborando e ela não tinha paciência. Perguntei onde estavam, com quem estavam, o que estavam fazendo. Queria entender com mais clareza o contexto dos comportamentos – dela e da criança. Ela me disse que estavam em um sítio com amigos. Contou como foram os dias; sua amiga mais próxima teve de retornar antes e Ana e a família ficaram com famílias não tão chegadas. À medida que fomos conversando, percebemos que ela se sentiu incomodada e rejeitada. O sentimento de rejeição mexia profundamente com ela, já que tocava em feridas da infância. O comportamento do menino, ao dizer que não queria tomar banho ou parar de brincar, foi apenas a gota de água que faltava para o transbordamento das suas próprias emoções. Perguntei como foram os dias antes da amiga mais próxima partir. Surgiram muitos conflitos com o pequeno? Ela me disse que foram dias tranquilos, que haviam se divertido muito. A alegria de estar em um grupo que a acolhia a deixava mais tolerante e paciente para acolher. Os mesmos comportamentos do filho despertavam menos irritação. A causa das explosões não era o filho, afinal.

Ninguém é capaz de fazer você feliz ou triste, ninguém é capaz de irritar você. As suas expectativas e as suas necessidades a respeito das pessoas e das situações é que causam os sentimentos. O outro e os eventos que nos acontecem são apenas gatilhos, nunca os responsáveis pelo que sentimos. Ouço, com uma frequência imensa, as seguintes frases: "Ele me irrita muito. Como não fico nervoso?", "Como é que vou lidar com empatia com uma criança que me provoca desse jeito?", "Ela me magoa muito!". Estamos acostumados a responsabilizar o outro pelo que sentimos e a nos responsabilizarmos pelos sentimentos do outro. Anos e anos ouvindo "Assim a mamãe vai ficar triste com você!" nos deixou marcas profundas. Assumir responsabilidade pelo que sentimos nos faz capazes de cuidar melhor de nós mesmos e do outro. Somos cheios de hematomas emocionais, que chamo, carinhosamente, de "roxinhos". Quando batemos o braço na quina da mesa surge uma mancha roxa que não costuma doer constantemente, até esquecemos que ela existe. No entanto, quando algum desavisado toca naquele ponto, sentimos uma dor aguda e incômoda que nos faz reagir imediatamente. Chamar de descuidada a pessoa que tocou e responsabilizá-la pela nossa dor é esquecer que só doeu porque machucados anteriores deixaram aquele ponto sensível. Se o toque fosse em outro lugar, talvez não doesse tanto. Entender que algo dói porque está tocando em pontos sensíveis do nosso corpo emocional faz com que tenhamos mais autonomia diante do que nos acontece. Não é o outro que é responsável pelo que sinto, sou eu. E sou a responsável por cuidar de mim, acolher os meus sentimentos e entender quais são as minhas necessidades. Sou eu quem tem que lidar com a minha própria raiva. Sou eu quem tem que entender que os meus sentimentos são aceitos e inevitáveis e que as minhas atitudes são sempre uma escolha. Sempre. Não digo que é uma escolha fácil, mas é uma escolha. E, se queremos que as crianças se responsabilizem pelo que sentem e fazem, precisamos começar a dar o exemplo. Não há ferramenta educacional mais eficaz do que modelar o comportamento que queremos ver em nossos filhos.

Não digo que não poderemos comunicar aos outros o que sentimos, no entanto há uma diferença enorme entre falar "Estou decepcionada com você!" e "Estou muito decepcionada porque eu esperava que o seu comportamento fosse diferente". Na primeira frase, comunico como me sinto e responsabilizo o outro pelo que sinto; na segunda, comunico o que sinto e assumo que as minhas expectativas são a causa da minha decepção. Assumir que as minhas necessidades mudam a forma como recebo o que acontece me coloca numa posição de decidir como reagir ao que acontece. Na *atenção plena* falamos que, quanto mais atentos ao momento presente, ao que está acontecendo dentro e fora de nós, mais capacidade temos de nos tornar ativos e não reativos. Para sair do ciclo "estímulo – reação" preciso assumir que tenho escolha, que os outros não são os responsáveis pelas minhas atitudes e, conscientemente, partir para o ciclo "estímulo – escolha – ação".

Imagine que você se desentendeu com uma pessoa de que gosta muito. Angustiada e triste, liga para uma amiga desejando desabafar. Marcam em uma cafeteria que frequentam há anos. Você, ansiosa, chegou alguns minutos antes. A sua amiga está quarenta minutos atrasada. A cada instante de atraso você conta para si uma história sobre o quanto sua amiga não a respeita. Como ela pôde se atrasar tanto, logo hoje? Em poucos minutos, você se lembra de vários outros momentos em que a amiga falhou e conclui que essa amizade não vai bem. Somos excelentes em inventar histórias para nós mesmos, criamos dramalhões dignos de novela das oito e nos identificamos com eles, acreditando que são verdades absolutas. Quando a amiga chega, você expõe seu estresse grosseiramente, faz cara feia, utilizando violência não verbal, ou se coloca como vítima da situação, dependendo da sua personalidade ou padrão de comportamento.

Sair do lugar de passividade nos faz parar de esperar que o outro nos faça sentir melhor e nos torna responsáveis pelo que sentimos e pelas nossas atitudes.

OS SENTIMENTOS DO SEU FILHO

Agora imagine que você marcou com essa mesma amiga, mas nesse dia queria apenas bater papo e saber como foi a viagem que ela fez recentemente. No caminho para o café, o pneu do seu carro furou e você precisou parar na borracharia. A cada instante de atraso, você torce para que ela esteja atrasada também, já que detesta fazer os outros esperarem. Finalmente o reparo no pneu acaba e vocês chegam igualmente atrasadas ao encontro. Contam os motivos dos atrasos, cada uma descreve a própria odisseia, depois seguem o papo com tranquilidade.

Nas duas situações, a sua amiga se comportou da mesma maneira: chegou atrasada quarenta minutos ao encontro que marcaram. No entanto, a forma como você recebeu o atraso dela foi completamente diferente, já que você tinha expectativas e necessidades diferentes em relação à chegada dela.

Sair do lugar de passividade nos faz parar de esperar que o outro nos faça sentir melhor e nos torna responsáveis pelo que sentimos e pelas nossas atitudes. Bater na criança, humilhar e explodir é escolha. Deixamos que a nossa raiva cresça a ponto de perdermos a capacidade de autorregulação, porque seguimos responsabilizando o outro: "Ele tem que parar", em vez de "Eu preciso de um tempo para recuperar o equilíbrio". Nenhum dos ensinamentos deste capítulo, nem dos capítulos à frente, será verdadeiramente implementado na rotina se você continuar acreditando que somos controlados pelas nossas reações. A maturidade para orientar a criança no seu caminho de autoconhecimento está em admitir, a nós mesmos, que conhecemos muito pouco sobre nós. O compromisso com a nossa regulação emocional é condição para uma educação emocionalmente inteligente. Essa maturidade e esse compromisso ultrapassam o campo da educação e refletem em todos os âmbitos da nossa vida, sobretudo no relacionamento mais importante que possuímos – aquele que temos conosco e sobre o qual falaremos melhor no capítulo 7. E não há problema algum pular para ele agora, se o seu coração pedir.

RESUMO DO CAPÍTULO

- Os sentimentos das crianças interferem diretamente no comportamento e na saúde física e mental delas;

- A inteligência emocional é a capacidade de reconhecer e lidar com os próprios sentimentos e emoções, utilizando-os a seu favor, bem como compreender e lidar com os sentimentos e emoções do outro;

- Somos responsáveis pela alfabetização emocional dos filhos;

- Não existe choro sem motivo, e birra é um rótulo que utilizamos para desconsiderar os sentimentos da criança;

- Menosprezar, ignorar, dar conselhos, atender e explicar demais atrapalham a empatia e não apresentam formas saudáveis de lidar com os sentimentos;

- Nomear os sentimentos ajuda a aumentar o próprio repertório emocional, espelhar o que os filhos dizem valida o sentimento deles e escutá-los fortalece a conexão entre vocês;

- A imaginação é uma excelente aliada na educação e resolução de problemas cotidianos;

- Todos os sentimentos são aceitos, mas algumas atitudes precisam ser redirecionadas;

- As crianças necessitam de auxílio para lidar com os sentimentos desafiadores, e os pais precisam desenvolver habilidades para lidarem com os próprios sentimentos;

- Assumir a responsabilidade pelo que sentimos nos torna mais capazes de transformar as nossas ações e modelar o comportamento que desejamos ver nos filhos.

NUTRINDO A AUTENTICIDADE

3

"SERES HUMANOS DIFERENTES DE NÓS"

ALINE E BEATRIZ

Quando Aline me procurou pela primeira vez, a minha agenda estava fechada. Era fim de ano, e resolvi passar dois meses sem atender. Durante esse período, ela me enviou mensagens, perguntando quando abriria um novo horário e pedindo que, assim que disponibilizasse data, lhe informasse. Eu imaginava que ela enfrentava algum problema sério com os filhos adolescentes. As mães de adolescentes que atendo costumam viver situações excessivamente desafiadoras. Uma semana antes de voltar a atender, eu a informei.

Durante a consulta ela falava de um modo acelerado, sem pausas para respiração, o que me fez perceber o quanto ela estava ansiosa e o quanto aquele era um assunto delicado e importante para ela. O que me surpreendeu foi que Beatriz, sua filha, era, segundo Aline, uma adolescente de 12 anos, tranquila e colaborativa. Para a mãe, havia apenas um problema entre elas: a menina odiava estudar. Na escola, passava "de raspão" todos os anos, desde muito nova. Não gostava de fazer as tarefas, não prestava atenção nas aulas. A mãe disse que a filha era muito preguiçosa, e isso a desesperava. Para Aline, ter uma filha que não gostava de estudar era algo inimaginável. Ela, a mãe, era a imagem das alunas superaplicadas que vemos em filmes. Muito estudiosa desde sempre, tirava notas altas e era funcionária pública concursada. Aline me disse ser realizada e feliz profissionalmente, e que devia absolutamente todas as suas conquistas aos estudos. A filha era o seu oposto, ou, pelo menos, a mãe concluía que assim fosse. E esse era um ponto de tensão e extremo desentendimento entre as duas.

Depois de escutá-la, perguntei a Aline se, em algum momento, havia parado para pensar que a filha era um ser humano diferente. Ela me disse que não aceitava que a filha fosse diferente dela nesse ponto. Podia ser em qualquer outro, mas nos estudos, não. Mas era exatamente nesse ponto que a doce e colaborativa Beatriz reivindicava a sua identidade.

Há, na forma em que falamos dos filhos, um tom de posse. Eles são "nossos", acreditamos. E, como são "nossos", fazemos para eles planos e projetos, e desejamos que se encaixem neles, como se não fossem seres humanos singulares. Os filhos que sonhamos e idealizamos durante a gravidez nunca nasceram. Eles são fruto da nossa imaginação. Os bebês que recebemos nos braços são seres únicos e nunca houve ou haverá alguém como eles no mundo. A grande maioria dos problemas de relacionamentos com os filhos parte da não aceitação de quem eles são. Acreditamos que as crianças atenderão as nossas expectativas, que serão os filhos que queremos que sejam, e esquecemos, no entanto, que não somos os filhos que os nossos pais imaginaram que seríamos e que, certamente, ao longo da nossa história, fugimos às projeções, discordamos deles e, por vezes, optamos por caminhos contrários aos que determinaram.

A educação não deve ser um esforço para aniquilar as características que reprovamos em nossos filhos, mas sim para ajudá-los a lidar com todas as suas facetas, desde as que admiramos até as que repugnamos – ou por serem parecidas demais com o que recusamos aceitar em nós, ou por serem absolutamente avessas ao que acreditamos ser o ideal. Buscar enquadrar os filhos em nossas projeções é como encaixar peças que não combinam em um quebra-cabeça; o resultado será muita frustração.

Andrew Solomon, em seu livro *Longe da árvore*, traz os conceitos de "identidade vertical" e "identidade horizontal", que são informações preciosas e deveriam ser distribuídas durante o pré-natal, grampeadas no cartão da gestante. Identidade vertical é aquela que recebemos dos nossos pais; são as características que nos aproximam, demonstram as nossas semelhanças e são compartilhadas por toda a família. Na identidade horizontal moram as diferenças; são as características estranhas aos nossos pais, em que só encontramos ressonância com os nossos pares. Todos temos ambas, e é ilusão acreditar que os filhos terão apenas uma identidade vertical. A forma como lidamos com a sua individualidade faz toda a diferença na autoconfiança e autoestima que levarão por toda a vida. Na educação das crianças não precisamos

NUTRINDO A AUTENTICIDADE

de certezas, mas de curiosidade e abertura. Curiosidade para entender quem são, sem julgamentos que nos distanciam, e abertura para as diferenças que inevitavelmente surgirão.

Já vi filhos de vegetarianos enlouquecidos por carne. Filha de roqueiros curtindo música pop. Filhos de evangélicos que são ateus. Filhos de matemáticos que odeiam números. Filhos de professores de português que não suportam letras. Educar é muito mais um exercício de aceitação do que de moldagem. Muitas vezes eles são muito diferentes do que esperamos, e isso não precisa ser um pesaroso julgamento, apenas uma constatação.

As relações ficam mais fáceis quando se pode ser quem é. Quando há conforto em vestir a própria pele em casa. Temos, todos nós, em maior ou menor grau, marcas dos pedacinhos que foram arrancados quando tentaram nos encaixar em formas que não nos cabiam. Todos temos hematomas emocionais causados pela não aceitação. Mesmo que não reflitamos a respeito disso, sofremos por não nos sentirmos bons o suficiente. Filhos não são o nosso projeto para o futuro. Vejo pais de amigos e pessoas queridas descrevendo os próprios filhos e percebo que os conhecem pouco. Quem o seu filho é sem as suas expectativas? Sem rótulos, sem julgamentos, sem as "caixinhas" de bom ou ruim? Será que está na hora de se despedir da idealização e de se conectar com esse ser único, especial e importante?

Aceitação e comodismo não são sinônimos. Aceitar é parar de brigar com a realidade, visto que ela está posta e é o que é; podemos apenas escolher como lidar com ela. Pensamentos como "Meu filho não deveria ser assim", "Ela não deveria ser desse jeito" apenas nos distanciam de soluções reais e efetivas para os conflitos diários. Somente aprendemos a lidar com o que aceitamos que existe. Se o seu filho tem uma tendência à agressividade, você encontrará ferramentas para lidar com essa característica quando parar de brigar com a existência dela. Comodismo é inércia, aceitação é atitude.

> **As relações ficam mais fáceis quando se pode ser quem é. Quando há conforto em vestir a própria pele em casa.**

A NOCIVIDADE DOS RÓTULOS

Perguntei para a Aline o que ela pensava sobre pessoas que não gostam de estudar. Ela contou que, na época da escola, não se aproximava dessas pessoas. Na família, tinha exemplos de falta de responsabilidade e comodismo, e repugnava tais atitudes. Ela também não queria que a filha, Beatriz, fosse displicente. Imaginava a menina adulta, sem condições de pagar as próprias contas, frustrada e infeliz. Para a mãe, ser uma aluna brilhante, que tira notas altas em todas as provas, era o único caminho possível para um futuro bem-sucedido.

Nas primeiras vezes que Beatriz chegou da escola, ainda criança, e não mencionou as tarefas de casa ou não demonstrou interesse em fazê-las, Aline concluiu que precisava tomar uma atitude urgente contra aquilo. Gritava, brigava, chamando a menina de preguiçosa e desinteressada. Dizia à filha que se não estudasse, não seria alguém na vida. Os anos passaram e, conforme o esperado, o desinteresse de Beatriz apenas piorava. Mentia sobre as datas das provas, escondia os boletins escolares. À medida que a menina piorava, a mãe aumentava a repressão. Ameaçava, punia, retirava o uso do celular e outros aparelhos eletrônicos. Abria a mochila da menina, vasculhava seus cadernos e livros. Ligava para os professores. Bateu na filha algumas vezes. Pagou acompanhamento psicológico para a menina por seis meses e concluiu que não adiantava nada, pois a filha não se encaixava nos moldes que planejara.

Os primeiros contatos com os livros e a escola, na vida da pequena Beatriz, formaram nela a convicção de que era preguiçosa e desinteressada. Se a mãe, a pessoa adulta em quem mais confiava na vida, a empurrava diariamente para esse papel, era porque sabia das coisas. Beatriz deveria ser o que a mãe lhe dizia que era. Com a genuína intenção de ajudar a filha, Aline aprisionava Beatriz na personagem que repelia. Rótulos são profecias autorrealizáveis.

Constantemente confundimos fatos com opiniões. Beatriz não entregar a tarefa escolar é um fato; considerá-la preguiçosa é uma opinião. A criança não atender ao que lhe foi pedido é um fato, dizer que, por isso, é teimosa é uma opinião. A criança chorar ao ser contrariada é um fato, chamá-la de chorona é uma opinião. Julgamentos

NUTRINDO A AUTENTICIDADE

fazem parte da vida e fazem parte de nosso mecanismo de autopreservação. Julgar uma situação perigosa, de acordo com a experiência de vida e o conhecimento prévio, pode evitar uma morte. A mente julga, e essa é uma das suas funções. O grande problema é que acreditamos em nossos julgamentos e os tomamos como verdade absoluta. Apresentamos aos filhos as nossas opiniões como se fossem fatos inquestionáveis. Na maioria das vezes, eles acreditam no que dizemos e utilizam as histórias que contamos sobre quem são para construírem a narrativa da própria vida. Não conheci, até hoje, alguém que tenha recebido rótulos na infância e não seja influenciado por eles na vida adulta. Eles geram uma ressonância que ecoa em nós por anos a fio.

Beatriz não sabia que a palavra "preguiçosa" dirigida a ela era apenas a opinião da sua mãe, assim como a própria Aline nunca percebeu que esse era um julgamento, e não um fato a respeito da sua filha. Todos nascemos certos de que somos merecedores de amor e compaixão; todos nascemos suficientemente bons. É a convivência ao longo da vida com os adultos de autoridade, nossos cuidadores e pares, que nos faz concluir que não somos o que deveríamos ser. Aos poucos percebemos o que agrada ou não o outro e vamos, inconscientemente, decidindo o que pode continuar na luz e o que deve ser renegado às sombras. Vamos classificando as nossas características como boas ou ruins, separando pedaços de nós, como se não fôssemos porções inteiras. Ninguém é uma coisa só. Ninguém. Somos, todos, uma multiplicidade imensa de coisas, e acreditar que uma característica isolada nos define é limitar o nosso imenso potencial.

Os nossos julgamentos podem servir como um mapa, uma previsão para nos auxiliar a tomar decisões, mas não devem ser os fatores determinantes para tanto, sobretudo na relação com os filhos. Antes de falar algo para o outro é essencial que nos perguntemos o que desejamos com a nossa fala. Aonde queremos chegar ao chamar uma criança de "preguiçosa", "teimosa", "desobediente", "grosseira", "chata", "insuportável", "danada" ou qualquer outro julgamento? Qual objetivo queremos alcançar com essas falas? Se for a autorreflexão, essa é uma péssima ferramenta. Se for a mudança, é ainda mais ineficaz, visto que essas falas geram culpa, que acorrenta mais do que liberta. Não seria mais produtivo para nós, para os nossos filhos e para a nossa relação que abandonássemos a insustentável missão de dizer quem são ou quem devem ser? Se somos todos multifacetados e complexos, por que insistimos em reduzir os filhos a apenas uma característica, justamente a que menos gostaríamos que se manifestasse?

Além dos efeitos nocivos dos rótulos no desenvolvimento da autoestima da criança, ao nos comunicarmos com os rótulos deixamos de nos comunicar com o presente, com a criança que está diante de nós, com seus sentimentos e necessidades. Enquanto rotulamos, nós nos afastamos das camadas mais profundas das relações.

Passamos dez dias das férias na casa do meu pai, em uma cidade a mais de 500 km da que morávamos. Enquanto Isaac e eu organizávamos as malas no carro, o avô chamou as crianças para se despedir. Miguel, o mais velho, indica que não queria, dizendo um "Não vou" grosseiro. Minha primeira reação foi me chatear. Somos contadores de história compulsivos e, preciso confessar, a minha mente é muito tagarela. Em instantes, começou a ladainha que conheço de cor: "Lá vai Miguel me matar de vergonha. Custa o que falar com o avô? Passou dez dias aqui, caramba! Que absurdo! Esse menino me cansa demais! Vontade de me trancar em casa e nunca mais sair. Saco! Meu pai deve estar pensando que não sei educar, claro! Eu definitivamente não mereço." Respirei, envergonhada.

A empatia é exercício, escolha diária, daqueles que preciso revalidar, me esforçar, me empurrar para fora do meu padrão, das minhas próprias histórias. "Ele ficou dez dias aqui, é isso, claro! Ele não quer se despedir!" Eu me aproximei, com um tom de voz acolhedor, enquanto ele se escondia no carro: "Filho, os dias aqui foram muito, muito legais. Eu também amei. Ir embora é muito difícil, se despedir do vovô dói." Ele engoliu o choro seco, saiu do carro, abraçou rapidamente o avô e voltou para o lugar. Assim que passamos pelo portão, um choro sentido, forte, daqueles soluçados e tremidos, explodiu lavando a alma. Chorou

> **A empatia é exercício, escolha diária, daqueles que preciso revalidar, me esforçar, me empurrar para fora do meu padrão, das minhas próprias histórias.**

com o corpo todo. "Eu não quero ir embora, eu não quero ficar longe do vovô..." Reconheci que despedidas são dolorosas, enquanto suas lágrimas saíam feito cachoeira. A ladainha em minha mente se calou, já não tinha razão de existir. Permitir que a verdade se apresente tem um efeito mágico sobre as histórias que repetimos internamente. Tudo o que fazemos é regido por sentimentos e necessidades, e a vida muda quando trocamos as certezas pela curiosidade de descobrir quais sentimentos e necessidades são esses. Aceitar que os nossos pensamentos não são a verdade é libertador.

RÓTULOS POSITIVOS

LÚCIA, "A BOA MENINA"

Lúcia havia sido uma das últimas a se apresentar no workshop. Tom de voz baixo, pausado e aparentemente calmo. Disse que tinha duas filhas, estava ali porque não conseguia se posicionar diante dos conflitos e isso estava interferindo diretamente na forma como educava. Ela era "a filha boa".

Lúcia cresceu ouvindo que era uma criança maravilhosa, boazinha, que não reclamava de nada e não incomodava ninguém. Os pais diziam, constantemente, que ela não dava o mínimo trabalho e que tinham orgulho da sua obediência. Qualquer tentativa de sair do papel da "boazinha", qualquer questionamento que fizesse era repelido com um "Filha, você não é assim!". Lúcia cresceu ignorando os próprios sentimentos e necessidades, sua missão de vida era ser legal. Figuras de autoridade lhe despertavam muita angústia. Sofreu com chefes que exploravam a sua incapacidade de dizer não. Adoeceu durante o mestrado, porque desejava atender às expectativas do orientador, um homem extremamente exigente. Quando as crianças brigavam, Lúcia se trancava no quarto e chorava ou explodia e sofria com a culpa que a assolava depois. Considerava a raiva um sentimento indevido, que lhe tirava o direito de ser amada e querida. A responsabilidade de educar um outro ser estava mexendo em feridas que Lúcia não sabia que existiam. Aos 31 anos, com auxílio de um psicoterapeuta, buscava conhecer quem era para além da personagem de boa menina.

AMANDA, "A INTELIGENTE"

Em um workshop sobre irmãos, conversávamos sobre o triste costume de aprisionar os filhos em papéis, em regra, antagônicos. Amanda contou que era "a filha inteligente", enquanto o irmão era "o filho burro". Desde muito nova era a melhor aluna da sala. Tirava as melhores notas, e os pais falavam da sua inteligência para todos. Quando concluiu o segundo grau e chegou a hora de prestar o vestibular, Amanda sofreu o peso do rótulo aparentemente positivo que recebeu por tantos anos. Sentia medo diariamente. E se não passasse nas provas? E se, só agora, os pais descobrissem que não era tão inteligente assim? Escolheu um curso com pouca concorrência e mesmo assim não conseguia ficar tranquila. Nas poucas vezes que tentou dividir com os pais as angústias, ouviu: "Não sei por que você está preocupada! Temos certeza que vai passar, você é tão inteligente!". A resposta desconsiderava os seus sentimentos e aumentava seus medos. No dia da prova, em uma crise de pânico, Amanda não conseguiu sequer escrever o próprio nome. Inconscientemente guardava a certeza de que era mais seguro adoecer que pôr em risco o seu papel na família.

NINGUÉM É UMA COISA SÓ

As histórias de Amanda e Lúcia são apenas duas das várias que tenho escutado em minhas trocas diárias com pais. Rótulos considerados positivos são tão prejudiciais quanto os negativos, visto que limitam a existência de quem os recebe a apenas uma pequena porção de si. Personagens são prisões. "A menina boazinha" também discorda, fica irritada, sente angústia, frustração.

Basear a própria existência nas impressões alheias é um peso que ser humano nenhum deveria carregar. As histórias que contam sobre nós mesmos constroem as nossas narrativas e determinam a forma como acreditamos que podemos conseguir amor e aceitação. Todo ser humano quer ser amado e aceito, todos queremos sentir uma conexão profunda com o outro, somos seres de comunidade. Quando, por um motivo qualquer, fugimos da personagem que sempre desempenhamos, sentimos ameaçado o nosso lugar no mundo. Será que ainda vão me amar? Será que ainda vão me aceitar se eu disser não? Será que vão me deixar sozinho? Quem eu vou ser se não for "a inteligente"? "A boazinha"?

Existem, ainda, inúmeros casos de crianças rotuladas por toda a vida por características positivas que, durante as grandes transformações cerebrais e emocionais da adolescência, partiram para o extremo oposto do que sempre foram. A vontade de firmar-se como ser único e diferente dos pais leva, por vezes, a esse comportamento.

Quando Aline me falou sobre Beatriz e seus problemas escolares, pensei que, talvez, fosse a forma de a pequena, inconscientemente, dizer que não é tão boazinha assim. Talvez seja o espaço da vida em que diga: "Eu não sou você, não sou quem você deseja que eu seja!". Não somos uma coisa só. Nenhuma característica isolada nos define ou define os nossos filhos. Somos complexos demais para nos atermos apenas a uma porção de nós mesmos.

AJUDANDO A CRIAR NOVAS IMAGENS DE SI

Ao perceber que, durante todos esses anos, empurrava a filha para o rótulo que repugnava, Aline chorou. As lágrimas escorriam enquanto eu a escutava em silêncio. Nós todos fazemos o nosso melhor e, até aquela manhã, Aline fez o que acreditava ser o mais acertado, diante dos conhecimentos que tinha. Perdoar-se é um passo essencial para seguir em frente, erros são excelentes oportunidades de aprendizado.

Depois de se acalmar, Aline me perguntou o que fazer para mudar. Como Beatriz poderia sair da personagem que desempenha há anos? Iniciamos um processo de desconstrução da imagem que a mãe tinha da própria filha. Ela era somente essa menina que não estuda? Aline me contou que a filha era excelente nas aulas de teatro e que decorava as falas dela e de todos os personagens das peças. Disse que a adolescente escrevia lindas e complexas histórias e que desenhava muito bem. Ao me contar as capacidades da filha, a mãe percebeu a potência da garota. A criatividade e a veia artística da menina eram imensas. Talvez a forma tradicional de estudar, que sempre serviu tão bem para a mãe, não fosse o suficiente para segurar a atenção da pequena artista.

Sugeri, então, que incentivasse a filha a criar histórias sobre os temas de estudo e que testasse ilustrar as aulas em vez de copiar no caderno. Indiquei uma sessão de resolução de problemas (falaremos mais no capítulo 6), visto que Aline jamais perguntou para a filha qual seria o melhor jeito de estudar, e lhe pedi que reduzisse as expectativas e o controle sobre a menina.

Beatriz não tinha de tirar dez em todas as matérias, não tinha de ser a continuação da mãe ou a materialização de seus sonhos. Talvez a menina, mesmo com todos os novos incentivos que a mãe aprendia em nossas consultas, tirasse apenas as notas necessárias para aprovação. A menina deveria organizar o próprio tempo, desenvolver a autonomia que a mãe nunca lhe permitiu ter e arcar com as consequências naturais das suas escolhas. Ao abrir mão da crença de que a menina era preguiçosa, Aline pôde, finalmente, conhecer quem era a filha para além do seu controle.

Vivemos em uma sociedade que costuma rotular. Por mais que nos esforcemos a fugir do padrão de aprisionar as crianças em apenas uma das suas características, isso provavelmente será feito pelos parentes, professores, irmãos, amigos ou pela própria criança; somos contadores de histórias, e é comum que isso aconteça. A forma como lidamos com esses rótulos é o que fará toda a diferença. Os meus filhos, desde muito novos, ouvem – e falam – que ninguém é uma coisa só. Repito isso com bastante frequência em casa, na esperança de que aprendam e se defendam, eles mesmos, da chuva de rótulos que receberão na vida. Deixo algumas sugestões sobre como lidar com a criança que já está aprisionada a um papel:

MUDE AS SUAS LENTES.

Os rótulos são a nossa leitura da realidade, não a realidade em si. A mente busca validar tudo o que tomamos como verdade; ao julgar, direcionamos os fatos para que baseiem nosso ponto de vista. Se acredito que o meu filho é teimoso, todas as minhas interpretações das suas atitudes reforçarão a minha crença. Eu já lanço para ele esse olhar, esperando o momento que repetirei para mim mesma: "Sabia que ele agiria assim, está vendo?!". Buscar novas formas de enxergar essa criança, alterando as lentes com que a olhamos, transforma a relação. Troque a certeza pela curiosidade e lance a sua atenção para momentos em que o seu filho ou filha foge à personagem. Se o considera teimoso, busque observar os momentos em que ele colabora. Se a considera chorona, busque valorizar os momentos em que ela fala sobre o que sente. Ao observarmos e comunicarmos à criança as suas capacidades, ajudamos a ampliar a imagem que ela tem de si.

SEJA UM ARQUIVO VIVO DOS ACERTOS DA CRIANÇA.

Temos o costume de guardar todos os erros dos filhos, enumerados por ordem cronológica, etiquetados por nível de mágoa no nosso arquivo mental. "Hoje acertou, mas ontem...", "Você nunca faz o que peço!", "Desde pequeno você é nervoso desse jeito!", e segue a ladainha diária do quanto são inadequados. Não seria mais encorajador recordá-los das vezes que conseguiram acertar? Dizem que, em uma tribo africana, quando algum de seus membros comete algo prejudicial aos demais, ele é colocado no centro da aldeia e, por dois dias, toda a tribo lhe fala as coisas boas que fez. Segundo eles, todos nascemos bons e, pelos mais diversos motivos, esquecemo-nos disso. Ao relembrar os seus bons feitos, a pessoa se conecta com a sua real essência. Não sei até que ponto essa história é verdadeira, mas acredito no poder imenso de sermos arquivos vivos das boas ações uns dos outros.

DEMONSTRE CONFIANÇA.

Ao concluir que a filha era preguiçosa, Aline tomou para si todas as responsabilidades que poderiam ser da pequena. Certa de que a menina não cumpriria as suas obrigações, ela se antecipava nas cobranças. A falta de confiança em sua capacidade era sentida pela filha, que correspondia demonstrando desinteresse pelas atividades. Nossa confiança em nós mesmos se renova quando sentimos que pessoas que admiramos confiam em nós. Acredite nas capacidades da criança de ir além do rótulo, compartilhe com ela essa confiança e se coloque ao lado para o que precisar.

Um estudo testou o nível de influência do olhar do adulto no desenvolvimento e na autoimagem da criança. No início do ano letivo, três professores receberam instruções sobre as turmas pelas quais seriam responsáveis. A um professor foi dito que a sua turma era dos melhores alunos da escola, selecionados cuidadosamente e colocados juntos. A outro disseram que seus estudantes eram medianos, nem bons, nem ruins. O último foi informado de que estava recebendo a pior turma de estudantes da escola. A realidade é que não houve qualquer separação nas turmas; as turmas foram organizadas de maneira aleatória. No entanto, conforme o esperado, a turma considerada melhor se destacou, a mediana permaneceu na média e a ruim teve os maiores níveis de reprovação. Ficou claro que as lentes através das quais os professores olhavam para as crianças, o arquivo mental que eles tinham sobre maus e bons alunos e a confiança – ou a ausência dela – que tinham na turma influenciavam diretamente no desempenho dos discentes. Não porque as crianças são sensitivas, mas porque as nossas ações exteriorizam as nossas intenções. Se acredito que algo vai dar errado, não dou o máximo de mim. Os nossos pensamentos criam a nossa realidade. O que ganha atenção, ganha força.

ELOGIOS QUE FORTALECEM A AUTOESTIMA

"ATÉ ISSO ESTÁ ERRADO?"

A sala estava cheia, e eu ia falar de autoestima. A maioria de nós não se preocupa com ela. A lista de prioridades está bastante ocupada com a escola, as aulas do contraturno, a educação à mesa e o mercado de trabalho. Autoestima? Não, não dá para acrescentar mais isso.

Reconheci os olhares de decepção de quem quer falar sobre como conseguir a obediência ou como fazer a criança parar de chorar por tudo. O que muitos não entendem é que uma coisa influencia diretamente a outra. A imagem que temos de nós mesmos nos guia em todas as nossas interações. Pergunto o que acham da própria forma de elogiar. "Até o elogio está errado? Será que alguma coisa está certa?", uma mãe me fala, em tom de brincadeira, enquanto todos acompanham sorrindo. Mais uma vez digo que não existe o certo e o errado, mas o que melhor plantamos para o que queremos colher. Pergunto quantos esperam a aprovação do outro para ter certeza de que fizeram algo bom. Peço que sejam honestos comigo e consigo mesmos. "Quantas vezes você fez algo, considerou o resultado muito bom e, ao mostrar para alguém e ser criticado, mudou toda a sua opinião a respeito do seu feito? Quantas vezes dependeu da aprovação alheia para reconhecer as suas realizações?"

Agora todos estavam em silêncio. Divido uma das várias histórias que tenho e que se encaixam perfeitamente no tema. Uma mãe conta algo íntimo. Um pai divide outra vulnerabilidade. Falo de elogios demonstrando as consequências deles em nós. "Somos adultos dependentes de palminhas. Somos sedentos pelos parabéns do outro, como se fossem a permissão que precisamos para considerar o que fazemos bom o suficiente." Todos entendem o que quero dizer. Já não há resistência.

A forma tradicional de elogiar cria dependência. De repente o foco do que fazemos é agradar o papai e a mamãe, ou o adulto mais próximo. Reconhecemos pouco as nossas conquistas, comemoramos pouco as nossas realizações. Será que não há uma forma melhor de falar? Será que não podemos, em vez de nos colocar no foco das realizações de nossos filhos, demonstrar para eles as suas reais capacidades? Será que substituir o "Eu estou orgulhosa!" por "Imagino que você esteja orgulhoso!" empodera e encoraja mais?

Lembro a primeira vez que elogiei o meu filho descrevendo o que tinha feito. O pequeno me trouxe um desenho de uma casa e, em vez de falar o "Que coisa linda!", que saía quase automaticamente, eu descrevi o que tinha feito: "Nossa, você fez uma casa! Ela tem três janelas coloridas! Elas são quadradas, um formato difícil de fazer e você conseguiu! E tem uma árvore na frente!" À medida que descrevia os detalhes do desenho, percebia o pequeno enchendo o peito. Os olhos brilhavam e o sorriso crescia no rosto. Finalizei com um: "Imagino que esteja orgulhoso!". A diferença era nítida!

Um adolescente, ao ser aprovado no Vestibular, em vez de receber o comum "Parabéns", ouviu do pai: "O Vestibular é uma prova muito difícil, exige conhecimento de muitas áreas, e você conseguiu lidar com a sua ansiedade e as outras emoções e aplicar tudo o que estudou por todo esse tempo. Eu imagino que você esteja bem orgulhoso!" Há uma profundidade e inteireza diferentes ao aplicar o elogio descritivo. Além de dar a quem o recebe uma noção dos próprios feitos, se ainda não tem, incentiva a coragem de ir além.

> **Será que substituir o "Eu estou orgulhosa!" por "Imagino que você esteja orgulhoso!" empodera e encoraja mais?**

Carol S. Dweck, em *Mindset: The New Psychology of Success*, traz um estudo, em que se compararam crianças elogiadas como inteligentes e crianças cujos pais valorizaram o esforço. O primeiro grupo, das crianças ditas inteligentes, desenvolveu medo dos desafios, posto que não queriam pôr em risco a personagem de inteligentes. O grupo das crianças em que os esforços e dedicação eram mais valorizados do que o resultado em si, demonstrou maior capacidade de enfrentar desafios e não se deixou deter pelos erros cometidos. Apesar de parecer algo desimportante, as consequências da substituição do elogio tradicional pela descrição das realizações, incentivando a autocelebração, pode transformar a forma como a criança lidará consigo mesma no futuro. Perguntar como se sente diante do que conseguiu

NUTRINDO A AUTENTICIDADE

realizar leva à reflexão. Descrever ajuda a dar perspectiva. Incentivar o reconhecimento das próprias conquistas fortalece a autoimagem.

ESTIMULANDO A AUTOAVALIAÇÃO

MARIA

Maria me procurou porque estava com problemas com o filho Luã, de 3 anos. Depois de alguns minutos de conversa, ela começou a chorar. Não queria mais falar do filho, apenas desabafar sobre o quanto a maternidade, o casamento e a vida adulta a levaram a caminhos que não imaginava seguir. Estava triste, angustiada e perdida. O ambiente em que cresceu era cheio de críticas. Os pais observavam os erros que cometia com lentes de aumento e não a deixavam esquecer de nenhuma das suas falhas. A cobrança pela perfeição era constante em sua família e, por isso, cada falha trazia em si uma carga emocional muito grande. Maria tinha medo de iniciar uma nova carreira, já que fatalmente cometeria erros. Não queria seguir com a profissão que exercia antes da maternidade, pois não se achava competente o suficiente para retornar ao trabalho e se sentia infeliz na posição em que estava. Durante a infância desenvolveu o padrão de fazer-se invisível, já que quanto menos fosse vista menos seria criticada. No entanto, na maternidade não havia como fugir, não tinha a chance de ser invisível. Na maternidade ela precisava estar ativa.

Maria se considerava uma péssima mãe porque errava muito, e os erros pareciam ser a prova de sua incapacidade e de seu despreparo. Ela havia herdado as lentes de aumento com as quais os pais olhavam para os seus erros, e isso lhe despertava uma culpa que paralisava. Encolhida em algum cantinho dentro de si, esperava que a vida mudasse por si só. Os pais de Maria repeliam os seus erros em vez de ajudá-la a aprender com eles. Agora, adulta, ela se definia a partir das várias falhas que cometia ao longo dos dias. De todas as certezas que tinha na vida, a maior é de que não era boa o suficiente.

72 EDUCAÇÃO NÃO VIOLENTA

A maioria dos pais, no que se refere aos erros que os filhos cometem, divide-se em dois grandes grupos: aqueles que apontam os erros sem qualquer pudor e os que não criticam nem estimulam a autoavaliação. Os pais que estão no primeiro grupo acreditam que se cobrarem a perfeição dos filhos evitarão sofrimento futuro. Corrigem a postura, a forma de comer, de falar. Guardam em si a convicção de que tudo que sofreram na vida é culpa dos erros que cometeram, logo, quanto mais perfeitas as crianças forem, menores as chances de serem envergonhadas e criticadas por quem quer que seja. Infelizmente, a cobrança excessiva alimenta nos filhos a sensação de inadequação. Quando adultos, essas pessoas geralmente costumam ter medo de arriscar e, assim como Maria, definem-se a partir dos seus erros.

O segundo grupo compreende pais que, em regra, são permissivos, encobrem os erros dos filhos e minimizam as consequências das suas atitudes. Como guardam em si feridas causadas pelas críticas que receberam por toda a vida, decidiram poupar os filhos desse sofrimento. Assim, educam pessoas pouco capazes de reconhecer as próprias falhas e aprender com elas.

Em algum momento da história, começamos a acreditar que podemos viver sem cometer erros. Daí em diante passamos, de geração a geração, a errônea crença de que precisamos ser perfeitos para merecer amor, respeito e compaixão. Colocamos em nossos erros a culpa por todos os nossos sofrimentos e deixamos de enxergá-los como realmente são: uma excelente oportunidade de aprender. Uma vida sem sofrimentos e dores é impossível. Na prática da atenção plena, diz-se que existem dois tipos de sofrimento. O primeiro é inevitável – aquele que nos desperta a frustração dos planos não realizados, da vida que foge ao nosso controle. O segundo é escolha – o que sentimos quando, em vez de lidar com o que é posto em nosso caminho, reclamamos que não deveria acontecer. A briga com a realidade. Quando aceitamos que não há possibilidade de evitar que os nossos filhos cometam erros e que sintam dores advindas do caminhar da vida, podemos focar a nossa atenção em ajudá-los a lidarem melhor com os desafios que surgirão. Se, em vez de estimular a culpa, estimularmos a responsabilidade, estaremos preparando os filhos para a

NUTRINDO A AUTENTICIDADE

vida real, e não para a vida que as nossas expectativas criaram e que nunca irá existir.

Deixo aqui dicas para ajudar os filhos a lidarem com a realidade:

SEPARE OS FATOS DAS OPINIÕES.

Descrever a situação, sem qualquer julgamento, faz com que a vejamos de maneira mais objetiva e, a partir dessa clareza, possamos ajudar a criança a se conectar com a realidade, e não com os seus pensamentos. Quando a criança comete um erro e, imediatamente, é coberta de julgamentos e opiniões a respeito do que aconteceu, ela perde a oportunidade de pensar e refletir sobre os fatos.

É importante lembrar que demonstrar confiança não significa deixar a criança entregue a si mesma, nem impedir que vivencie as consequências de suas atitudes.

FAÇA PERGUNTAS QUE ESTIMULAM A REFLEXÃO.

Em regra, diante dos erros e falhas, nós temos um discurso pronto de como a criança deveria agir das próximas vezes. O grande problema dessa atitude é que a reflexão vem de fora, não da criança. Se desejamos que desenvolvam a capacidade de refletir sobre os próprios erros, podemos auxiliar o raciocínio com perguntas que lhes façam encontrar as respostas dentro de si. É importante perceber o momento ideal de estimular essa reflexão. Se o seu filho está necessitando de empatia, siga os passos que indiquei no capítulo 2.

DEMONSTRE CONFIANÇA.

Demonstrar para a criança que confiamos em sua capacidade de tomar decisões fortalece nela a autoestima e a responsabilidade, além de estimulá-la a perceber que os erros não a definem.

A SUPERCOLA

Estava na cozinha quando vi o meu filho mais velho passar correndo com algo escondido embaixo da roupa.

— Miguel, o que você está levando aí escondido?
— Oi? Eu? Nada, nada!

Ele saiu com algo escondido. Fingi que não vi e segui preparando o jantar. Em poucos minutos ele chegou, chorando.

— Meu dedo, meu dedo está com uma casquinha de supercola... vai sair, mãe? Vai sair?
E chorou mais. Chorou muito. A mente do pequeno é tagarela como a minha, ele sempre acha que vai ficar com uma cicatriz até a eternidade, ou que vai morrer, ou que nunca mais vai andar.
— Filho, deixa eu ver.

Olhei e percebi só uma camada de cola seca. Nada de dedos grudados. Tenho uma vontade imensa de falar um sonoro: "Eu te avisei para não mexer na cola!", "EU TE AVISEI!". Engoli. "Eu te avisei" é péssimo para ajudar a pensar e interiorizar o ensinamento que as consequências trazem. "Eu te avisei" tira o pensamento do "Putz, não era para eu ter feito isso!" para "Que saco, a minha mãe é chata demais" ou "Eu só faço merda mesmo". Eu odiava – e odeio – ouvir "Eu te avisei".

— Vai sair à medida que você for tomando banho.
— Tira agora, por favor!

Ele me olhou com cara de desespero.

— Filho, você mexeu em algo em que não deve mexer sozinho. E eu vou deixar que você vivencie as consequências das suas atitudes. *[Descrevi o erro sem qualquer julgamento.]*

O choro aumentou.

— Meu bem, eu imagino que você esteja muito angustiado por ver o dedo assim. Eu sinto muito. *[Nomeei o sentimento.]*
— Vai sair, né, mãe? Não vai ficar assim para sempre, né?
— Não, não vai. O que a gente aprendeu com esse erro de hoje? *[Pergunta que costumo fazer para pensarmos juntos nos aprendizados dos erros. Em algumas situações, mais perguntas são necessárias.]*

Resmungando, ele me respondeu:

— Que não pode mexer na supercola sozinho...
— Ótimo, o importante é aprender com os erros. Eu confio que você não vai mexer novamente. Você pode me mostrar o que estava tentando colar? *[Demonstrei confiança.]*

É importante lembrar que demonstrar confiança não significa deixar a criança entregue a si mesma, nem impedir que vivencie as consequências de suas atitudes. Crianças precisam ser orientadas pelos adultos, e a liberdade que têm deve ser dada nos limites que estabelecemos. Falaremos mais sobre este tema no capítulo 6.

RESUMO DO CAPÍTULO

- A educação não deve ser um esforço para aniquilar as características que reprovamos em nossos filhos, mas sim para ajudá-los a lidar com todas as suas facetas, desde as que admiramos até as que repugnamos;
- Rótulos são profecias autorrealizáveis;
- Fato é o que nos acontece, opinião é o que julgamos sobre o que nos acontece. A confusão entre ambos traz muitos prejuízos para as relações, sobretudo com os nossos filhos;

- O que ganha atenção ganha força. Quanto mais foco colocamos nos rótulos, mais aprisionamos os nossos filhos em características que repelimos;

- Comunicar-se com os rótulos tira a presença necessária para lidar com a realidade e encontrar soluções para os problemas disciplinares;

- Rótulos positivos são tão nocivos quanto os negativos, e ambos devem ser evitados;

- Mude as lentes com as quais olha a criança; seja um arquivo vivo dos acertos dela e demonstre confiança;

- Utilize elogios descritivos, dando à criança uma noção das próprias realizações;

- Erros fazem parte do aprendizado e são excelentes oportunidades de crescimento;

- Substitua as críticas por perguntas que estimulem a reflexão.

PREPARANDO PARA A VIDA!

4

A IMPORTÂNCIA DA AUTONOMIA

CÍNTIA E CHARLES

Quando Cíntia nasceu, a mãe era uma adolescente de 18 anos. A gravidez não foi planejada e, mesmo após o nascimento da menina, a mãe não aceitava a sua chegada. Desde muito pequena foi tratada como uma adulta e tinha de cuidar de si mesma. Era responsável pela limpeza da casa, preparava a comida, organizava a rotina e ia e voltava da escola sozinha. Nas poucas vezes que pedia a ajuda da mãe, ouvia que tinha acabado com os sonhos dela, que nunca foi desejada e que era um estorvo. Cresceu com mágoas e dores profundas da infância e, ao engravidar, prometeu a si mesma que faria tudo diferente.

Como é comum que aconteça, Cíntia era o extremo oposto da mãe. Fazia absolutamente tudo pelo filho, Charles. O menino jamais foi incentivado a sequer tirar os pratos da mesa. A mãe escolhia as roupas e as vestia nele, organizava a mochila da escola, o lanche e os brinquedos. Mesmo com o passar dos anos, a única responsabilidade de Charles na família era brincar e se divertir. Cíntia arrumava a casa e preparava a comida enquanto o filho dormia para que, quando acordasse, ela pudesse lhe dedicar atenção exclusiva. Amenizava as consequências dos seus erros e evitava as frustrações a todo custo. Buscando fazer o melhor para o filho, Cíntia criava nele uma dependência preocupante.

Durante a Idade Média, as crianças eram vistas como miniadultos. Tinham de seguir as mesmas regras, comportar-se com igual responsabilidade e comprometimento. Com o passar do tempo, saímos do ponto em que crianças eram adultos em miniatura para o ponto em que crianças são bibelôs incapazes de fazer qualquer coisa por si mesmas. Em regra, ao falar de educação não violenta, as pessoas interpretam que a criança deve ser transformada no centro da vida.

Nesse pensamento cheio de dualidades, achamos que existem apenas os dois extremos. Todas as vezes que fazemos algo pela criança estamos tirando a oportunidade de que elas façam por si.

Os filhos não são nossos, mas deles mesmos, nós somos os seus cuidadores até que tenham a capacidade de cuidar de si sozinhos. Um dia, por mais que não pensemos nisso, reivindicarão a propriedade de si mesmos. O que farão com esse precioso bem? Ao passar pela porta da casa rumo ao desconhecido, levarão de nós uma mochila com os ensinamentos e as experiências que vivenciamos juntos. O que estamos colocando nessa mochila? Que ferramentas estão sendo acrescentadas nesse acervo pessoal, para que possam lidar com os desafios que a vida certamente lhes proporcionará? Estamos sendo educadores ou mimadores de crianças? Estamos preparando adultos conscientes do seu papel ou crianças crescidas, incapazes de resolver problemas e assumir as consequências dos seus atos?

Talvez você considere este capítulo um pouco duro e inesperado. Educação não violenta não é falar manso e levar a criança no colo? Não. Queremos preparar os filhos para a vida, e não os colocar no colo. Devemos dar as ferramentas e as habilidades necessárias para que possam lidar com as intempéries com sabedoria. E não faremos isso tomando todas as decisões por eles. Desenvolver a autonomia, a capacidade de tomar decisões e a responsabilidade pelo cuidado de si pode transformar o futuro das crianças. Lembra das habilidades para o futuro que citei no capítulo 1? Você fez a sua lista? Quais das habilidades estão sendo desenvolvidas em seu dia a dia?

O PAPEL DOS PAIS

Minha mãe conta que não havia conversa em sua casa. Minha avó, uma mulher endurecida pela vida, matriarca autoritária, determinava o que cada um faria, o jeito que faria e o tempo que tinha para cumprir as suas obrigações. Nunca perguntou a opinião de nenhum filho para o que quer que fosse. Também não havia abraços ou ama-

PREPARANDO PARA A VIDA

bilidade entre eles. A primeira vez que beijou a mãe em outro lugar que não fosse a mão no momento de pedir-lhe a bênção foi quando a minha avó já estava idosa. A criação que recebi foi bem diferente da que ela recebeu. Conversávamos, trocávamos carinhos e beijos, e as punições eram aplicadas quando lhe faltava outras ferramentas – o que infelizmente era a regra havia alguns anos. Da educação que recebeu ficou um resquício, uma frase que ouvi por muito tempo e que, apesar de curta, diz muito sobre a visão tradicional do que é ser pai e mãe: "Criança não tem querer."

Se a criança não tem querer, os pais devem determinar tudo por elas. O que devem comer, o que devem vestir, a forma como devem falar, os motivos aceitáveis para o seu choro. Muito além de administradores temporários da vida dos filhos, essa linha de pensamento nos coloca no papel de proprietários controladores deles. Esse desejo de controle e a busca pela relação em que pai manda e criança obedece é fonte de intensas frustrações. Antes de ter filhos, eu realmente acreditava que eles seriam como uma receita de bolo que, se seguida à risca, dariam um resultado incrível. Todo comportamento infantil ou adulto que eu julgasse inadequado era, a meu ver, culpa da falta de limites dos pais. Quando o meu primeiro filho chegou, percebi que não vinha junto manual ou controle remoto. Eu não ia encontrar a entrada USB para carregar tudo o que desejava ver na criança. Não tinha lugar para colocar o chip.

> **Nosso papel é de treinadores que se colocam ao lado, que auxiliam nas intempéries, que estimulam a criatividade, que ofertam a mão sempre que necessário e que apresentam a vida sem filtros.**

Determinar quem as crianças são é algo emocionalmente insustentável. Definitivamente esse não é o nosso papel. Se a saída da casa dos pais é algo, salvo raras exceções, inevitável, se o tempo que passarão sob o nosso cuidado é menos de um terço do que viverão, por que continuamos acreditando que precisam das nossas ordens, e não da nossa orientação? Por que seguimos acreditando que sempre saberemos quem são e o que é melhor para elas?

82 EDUCAÇÃO NÃO VIOLENTA

Enquanto tradicionalmente consideramos que controlar os filhos é parte do nosso papel, atrofiamos neles a capacidade de gerir a própria saciedade, de reconhecer as próprias necessidades. Enquanto cobrimos as pedras do caminho com almofadas e os impedimos de reconhecerem os desafios, de lidar consigo próprios e de se levantar após as quedas; enquanto nos esforçamos para fazê-los felizes, nós os tornamos frágeis e despreparados para lidar com todas as infelicidades que certamente acontecerão. Nosso papel é de treinadores que se colocam ao lado, que auxiliam nas intempéries, que estimulam a criatividade, que ofertam a mão sempre que necessário e que apresentam a vida sem filtros. Nosso papel não é fazer por eles. Não é controlar.

ENSINANDO EM VEZ DE COBRAR

LIA E IAN

Lia estava sempre atrasada. Não que fosse uma pessoa desorganizada. As obrigações cotidianas eram muitas, e o dia parecia cada vez mais curto em suas 24 horas. Diariamente tinha a sensação de que precisava de um clone de si mesma para dar conta de toda a demanda. Acordava cedo e preparava o café da manhã. Depois acordava Ian, de 6 anos, e lhe trocava a roupa para ir para a escola. O uniforme ela separava no dia anterior, enquanto o filho dormia. Era mais prático fazer as coisas sem o menino, já que ele tinha um ritmo que incomodava. Depois de vestir a roupa no filho, sentavam à mesa e comiam juntos. Ao acabar, o pequeno saía da mesa e sentava no sofá para ver um episódio do desenho animado preferido, enquanto rapidamente ela e o marido lavavam os pratos e organizavam a cozinha. O pai escovava os dentes da criança e amarrava os cadarços do tênis, enquanto Lia colocava no carro a mochila, também arrumada por ela no dia anterior. O menino sentava na cadeirinha, enquanto os pais lhe prendiam o cinto. Deixavam o pequeno na escola e seguiam para o trabalho.

PREPARANDO PARA A VIDA

No comecinho da tarde, Lia pegava o filho na escola, abria a sua mochila e verificava se havia atividade, faziam o exercício, e o filho ia brincar, enquanto ela limpava a casa e organizava as coisas para o dia seguinte. Ela preferia limpar a casa sozinha, porque se o filho ajudasse, no seu ritmo de criança, a tarefa lhe tomava o triplo do tempo. E tempo é dinheiro; Lia não podia desperdiçá-lo. Em nome da praticidade e da correria, vivia sobrecarregada enquanto Ian seguia passivo em toda a sua rotina.

Percebo em nós, pais, um ciclo que é, no mínimo, interessante. Enquanto os filhos são pequenos, fazemos tudo por eles. Escolhemos e vestimos as roupas, colocamos a mesa, selecionamos a comida. Não deixamos que lavem os pratos conosco, porque certamente vão molhar toda a cozinha e atrapalhar o dia. Assim como Lia, somos guiados pela pressa e pela praticidade. Esperar a criança abotoar os próprios botões é perda de tempo. Esperar que limpe a casa conosco, aos 3 anos, é perda de tempo. Esperar que vista a própria roupa é perda de tempo. Precisamos de agilidade. Até que, um belo dia, quando os filhos geralmente têm entre 10 e 14 anos de idade decidimos que eles já têm idade suficiente para lavar os pratos com eficiência. Para organizar os exercícios da escola sem a nossa cobrança. Para arrumar a própria cama e o guarda-roupa. Assim, de uma hora para a outra, decidimos que já fizemos muito por eles e é hora de fazerem sozinhos.

Quanto tempo dedicamos no nosso dia a dia a treinar as crianças para a vida? Quanto tempo dedicamos a ensinar-lhes a lavar os pratos, limpar o banheiro, varrer a casa? Quanto tempo dedicamos para que aprendam a vestir as roupas e amarrar os sapatos?

O treinamento para que saibam cuidar da casa e de si mesmos começa hoje. Com a criança de 2 anos que aprende a guardar os próprios brinquedos. Com a menina de 3 anos que escolhe e veste as roupas sozinha. Com o menino de 5 anos que prepara o sanduíche, usando, inclusive, a faca de pão – sob supervisão. Com a criança de 6 anos que acorda com o despertador e vive as consequências de apertar a função soneca em vez de levantar (chegar atrasado, perder o café da manhã). Enquanto fazemos por eles, tiramos deles a fantástica oportunidade de compreender que são parte ativa da própria vida.

Sobre este treinamento, é muito importante lembrar que os erros irão acontecer. A criança de 2 anos guarda os brinquedos de maneira desordenada. A menina de 3 anos não pensa na harmonia das cores da própria roupa. O menino de 5 anos não vai preparar um sanduíche balanceado como o seu. A criança de 6 anos precisa de auxílio na organização da rotina. A forma como lidamos com os erros e a compreensão de que cada pessoa tem o seu ritmo e jeito de fazer as coisas é o que pode tornar essa fase mais produtiva, leve e fluida. Erros são parte do aprendizado. E a forma que fazemos as coisas é apenas isso, a nossa forma. A sua criança pode encontrar o jeito dela.

O DIA EM QUE PAREI DE VESTIR AS ROUPAS NOS MEUS FILHOS

Por comodidade, por pressa ou por outros motivos, nós vestíamos as crianças a maior parte das vezes. Elas sabiam se arrumar sozinhas, escolhiam o que iam vestir, mas, na hora de colocar a roupa, acabávamos fazendo por elas. Isso me incomodava muito, visto que prezo tanto a autonomia. Em uma reunião de família, acertamos que eu não faria mais isso. Era importante que soubessem cuidar de si mesmas, e vestir a própria roupa era essencial. Mas eu sabia que testariam a nova regra, é da natureza humana testar os limites (ainda bem, evoluímos como sociedade graças a essa característica). E então, depois do banho, Miguel me pediu:

— Mãe, você me veste.
— Filho, fizemos um acordo, lembra o que conversamos na reunião de família?
— Lembro, mas amanhã. Hoje você me ajuda.
— Não, meu bem. A nossa nova regra já está valendo.

Ele brigou. Tentou me ameaçar, não surtiu efeito. "Eu não respondo a ameaças, filho." Ele gritou. Não adiantou, segui firme e tranquila. "Não gosto que fale comigo nesse tom." Eu havia me

PREPARANDO PARA A VIDA

preparado mentalmente para o teste, sabia que ele viria. Enquanto o pequeno chorava, eu pensava: "É só uma criança de 5 anos com *pedidos deslocados*, solicitando uma coisa, mas precisando de outra. Eu sou a adulta!". Resolvi entender os seus motivos.

— Por que é tão importante que a mamãe te vista?
— Porque você é rápida, e eu gosto de fazer as coisas rápido!
— Eu visto rápido porque treino faz muito tempo. Você só precisa treinar. E não se preocupe com o tempo, não estamos atrasados. Você tem todo o tempo de que precisa.

Ele chorou. E chorou mais. Por mais de vinte minutos ficamos ali. Depois vestiu a cueca dizendo que eu vestiria a bermuda. Vestiu a bermuda dizendo que eu vestiria a blusa. Vestiu a blusa dizendo que eu vestiria a roupa da próxima vez. Depois de vestido, chorando, ele me abraçou. Agradeci por ter cumprido o nosso acordo. Ficamos abraçados até que se acalmasse. Perguntei se o cantinho da calma iria ajudar, ele me disse que não. Só queria o meu abraço. Após esse episódio, Miguel passou a vestir as roupas sem questionamento. Testou a regra, viu que eu falava sério. Não gritei, não me descontrolei, não cedi. Apenas permaneci gentilmente firme.

Um tempo depois, foi a vez de a pequena testar. O choro durou menos de cinco minutos. Enxugou as lágrimas, vestiu a roupa.

PERMITINDO AS ESCOLHAS

HELEN E MURILO

O intervalo do workshop havia acabado e estávamos retornando para o lugar. O tema a ser discutido seria "autonomia". Enquanto falava de escolhas e da confiança que precisamos ter na capacidade das crianças, Helen me olhava nitidamente incomodada. Assim que abri o espaço para trocas e perguntas, ela levantou a mão e me contou que o filho, Murilo, odiava comer. Magro, abaixo do peso

86 EDUCAÇÃO NÃO VIOLENTA

considerado saudável pelo pediatra, o menino se recusava a comer o que ela oferecia. Após uma bateria de exames, constataram que não havia nenhuma justificativa física para a falta de apetite. O prato era cuidadosamente preparado para ele, que se negava a ingerir os alimentos. Frustrada e preocupada, Helen brigava e forçava a alimentação. Às vezes o menino vomitava, às vezes comia uma colher depois de horas de choro. Aos quase 3 anos, a criança sobrevivia à base de suplementos alimentares.

Perguntei se, em algum momento, o menino teve a liberdade de escolher o que comer – dentro de opções predeterminadas por ela –, se preparavam a comida juntos e se ele podia ter alguma liberdade de escolha no momento da refeição. Helen se irritou. Disse que não estava entendendo: se ela não desse a comida, se não forçasse ou brigasse, ele não comeria nada. Ela nunca tentou abandonar o controle sobre o momento da alimentação. Aquele era um tema difícil, delicado e extremamente tenso na família, desde a introdução alimentar. Quando o pequeno via a mãe organizando os pratos para o almoço, chorava e gritava, dizendo que não iria comer. Quanto mais a mãe investia forças em controlar a alimentação do menino, mais energia ele investia em reagir a esse controle. Aconselhei-a que o deixasse descobrir o que é fome, que ele pudesse conhecer os sinais do seu corpo em vez da carga emocional que a mãe acrescentava ao ato simples e natural de comer. Pedi que preparasse os alimentos com ele, que oferecesse as opções e que desse a liberdade de provar e escolher. Ela, nervosa, chorou. Contou que não conseguia abandonar o controle. Essa era a raiz do problema de alimentação do filho.

Por que esperamos que os nossos filhos façam boas escolhas na vida adulta se passamos a infância escolhendo tudo por eles?

Seguindo a linha de "Criança não tem querer", temos a sua irmã gêmea, "Criança não tem escolha". As pessoas consideram absurdo dar à criança a possibilidade de escolher algo, sem pensar no quanto a capacidade de fazer boas escolhas é essencial para o futuro dos filhos. Escolhas pedem ponderação das possíveis consequências, exercitam a empatia e o autoconhecimento e demonstram que a vida é regida pela lei de causa e efeito. Quantas escolhas ruins fizemos na vida adulta por pura falta de prática e habilidade? Por que esperamos que os nossos filhos façam boas escolhas na vida adulta se passamos a infância escolhendo tudo por eles?

É claro que não deixaremos que escolham entre a refeição e o bolo de chocolate ou entre a escola e o cinema. Ofertamos opções predeterminadas e lhes damos a possibilidade de ponderar qual delas parece mais acertada. Quanto mais incentivamos a escolha, menos passiva a criança se torna em sua própria realidade. Escolher a roupa com que vai sair pede a observação do clima, do lugar para onde vai e do que vai fazer; é um treino maravilhoso e que parece muito simples. Meus filhos observam se está frio ou calor para decidirem se a blusa deve ser de manga longa ou uma camiseta. Informo o lugar para onde vamos e peço que pensem que roupa é mais confortável – se vão para um parquinho, o jeans não é a roupa mais adequada, por exemplo. E, caso façam escolhas inadequadas, informo os riscos e permito que vivenciem as consequências.

Estávamos na piscina do condomínio onde moramos e vi um grupo de crianças brincando, sem os pais. Os meninos tinham entre 5 e 7 anos. Um deles contava que não podia entrar na água, enquanto os outros insistiam que entrasse, visto que o pai não saberia. No meu canto, eu me surpreendia com a conversa de crianças tão novas. Após a insistência dos amigos, o pequeno indeciso tirou a roupa e pulou de cueca na água. Nossos filhos farão escolhas diariamente. Escolherão coisas pequenas, como que roupa vestir, e escolhas grandes, como que carreira seguir. Escolherão, inclusive, se vão ou não nos comunicar as próprias escolhas. Se, em vez de ofertar as ferramentas necessárias para embasar boas escolhas, nós as fazemos por eles, estamos lhes tirando a oportunidade de aprender, treinar e errar. Este é o melhor momento para errarem nas escolhas, porque estão sob o nosso cuidado!

A seguir, deixo sugestões de comportamentos que incentivam o desenvolvimento da autonomia:

PERMITA QUE A CRIANÇA ESCOLHA AS ROUPAS QUE ELA IRÁ VESTIR.

Explique o que deve ser levado em consideração e deixe-a livre para escolher. Para facilitar a decisão de crianças menores, separe duas ou três opções.

CONVERSE SOBRE AS SUAS ESCOLHAS.

Compartilhe com os filhos suas reflexões sobre as escolhas que faz, de maneira leve e clara.

CRIEM JUNTOS UM QUADRO DE ROTINA.

Explique as atividades que devem ser feitas diariamente e, juntos, esquematizem a rotina. Permita que a criança escolha a ordem das atividades, sempre que possível.

ESCUTE.

Deixe que o seu filho pergunte, fale e compartilhe as percepções da realidade. Algumas crianças percebem mais o mundo à sua volta do que outras. Não conversar apenas deixará o seu filho perdido em seus próprios medos.

EXPLIQUE SOBRE CONSEQUÊNCIAS.

Existem consequências naturais para muitos dos nossos atos, e comunicar isso para a criança a ajudará a entender causa e efeito. No capítulo 6, falaremos sobre consequências lógicas e consequências naturais.

"FÁCIL" É UM CONCEITO RELATIVO

GIOVANA E MARIA

Giovana estava em minha casa com a filha Maria. A menina estava com bastante enjoo e vômito, e o remédio natural que eu tinha em casa era em comprimidos. A mãe pegou a pílula com uma das mãos, um copo de água com a outra e ofereceu à criança. A pequena, de 5 anos, tentou engolir, mas não conseguiu. Tentou uma, duas, três vezes. O remédio seguia grudado na língua. A água do copo já no fim. A mãe irritada, entendeu que a menina estava fazendo pirraça. "Engole, Maria!" Observei, me recordando da primeira vez que ofertei o mesmo comprimido para Miguel. Eu me aproximei da menina e pedi que enchesse a boca de água e tentasse engolir de vez. Expliquei enquanto demonstrava com gestos. Ela me imitou e conseguiu. Feliz, saltitando, me mostrou a língua: "Consegui, eu consegui!". O simples ato de engolir um comprimido, algo tão corriqueiro, era um desafio para a pequena menina, que nunca o tinha feito. O óbvio não existe. "Fácil" é um conceito relativo.

Li *O mundo de Sofia*, de Jostein Gaarder, quando tinha cerca de 13 anos. Um trecho me marcou bastante. Segundo o autor, o mundo seria como um grande coelho. Nascemos, todos, nas pontas dos finos pelos; nós nos admiramos com a paisagem, nos investimos de curiosidade para a vida. Com o passar dos anos, vamos escorregando cada vez para mais perto da pele, onde a paisagem é sempre igual. Considero uma analogia perfeita.

Daqui do couro acreditamos que as crianças estão vendo o que vemos, mas esquecemos que, de onde estão, no começo da vida, na pontinha dos pelos do coelho, a vista é bem diferente. Enquanto já não temos qualquer curiosidade pelas potencialidades do nosso corpo, as crianças vibram a cada descoberta, exploram com avidez essa casa que habitarão até o fim da vida. Enquanto uma pedra, para nós, é só uma pedra, para a criança é algo que precisa ser explorado, visto, cheirado, analisado. Com os olhos de pessoas recém-chegadas ao mundo, as crianças aprendem em uma velocidade que jamais se repetirá na vida. Em 12 anos saímos do posto de pequenos seres que não andam nem falam para adolescentes que almejam a liberdade.

O nível de descoberta e aprendizado desses anos, o intenso desenvolvimento físico e cerebral é algo admirável! E, mesmo com todo esse aprendizado intenso, com toda essa transformação, seguimos achando que sabem pouco, que fazem pouco. Partindo das nossas vivências e experiências, concluímos o que é ou não fácil, o que já deveriam ou não saber. Lembro que, quando os meus dois filhos começaram a andar, os primeiros passos me fascinaram. Algo que fazemos com tanta segurança e certeza, sem pensar, tão automaticamente, demanda muito esforço deles. Cada passada, cada queda, cada treino. Os pezinhos inseguros, o caminhar cambaleante. No couro do coelho, andar é algo simples e corriqueiro, mas ali, da pontinha do pelo, andar é algo mágico. Para Giovana, engolir o comprimido era algo comum; para Maria, algo completamente novo, cheio de sensações desconhecidas.

Deixo a seguir formas de incentivar a coragem e a autoconfiança:

RECONHEÇA A DIFICULDADE DO DESAFIO E ENCORAJE.

Quando dizemos para uma criança que algo é fácil, mesmo com a intenção de ajudar, estamos desconsiderando a posição de desigualdade que ocupamos; principalmente, estamos minando a sua autoconfiança, visto que dificilmente o que consideramos fácil será fácil para ela também. Não conseguir realizar algo fácil é frustrante. Realizar algo difícil é encorajador. Podemos substituir a tão falada frase: "É fácil!" por "Filho, abrir esse pote é realmente difícil e eu acredito que você consegue!"

ENSINE, NÃO FAÇA PELA CRIANÇA.

Demonstre como fazer, explique sempre que necessário e não faça por ela. Quanto mais agimos no lugar da criança, mais necessários nos tornamos para fazê-lo novamente.

VALORIZE OS ESFORÇOS.

Não atingir os objetivos também faz parte da vida. Por vezes, por mais empenhada que a criança esteja em realizar algo, os seus esforços não serão suficientes para alcançar o que almeja. Valorize a dedicação, reconheça o empenho. Por exemplo: "Sinto muito que tenha perdido pontos na prova de matemática. Vi que você se esforçou bastante, estudou e se dedicou. Estou aqui caso queira conversar."

ENSINANDO O AUTOCUIDADO

SOBRE GULA E SACIEDADE

Em minha família eu ocupava o papel da gulosa. Cresci ouvindo, desde muito pequena, que precisava que alguém controlasse a minha alimentação, vigiasse o meu prato, ou eu passaria dos limites. Comi escondido inúmeras vezes. Foram vários os episódios em que esperava que os meus pais saíssem de casa para que eu pudesse preparar um doce – e comer tudo de uma vez, para não deixar vestígios. Desenvolvi com a comida uma relação de descontrole e tive oscilações bruscas de peso durante a adolescência e início da fase adulta. Até que, ao visitar uma nutricionista com abordagem comportamental, eu descobri algo que me assustou: eu não sabia reconhecer a sensação de saciedade, tampouco os níveis de fome. Todos os sinais que o meu corpo enviava eram recebidos de maneira confusa. Com a guiança externa que sempre existiu sobre a minha alimentação, eu não aprendi a escolher a qualidade ou a quantidade do que entrava em meu corpo. É interessante quando reconhecemos as nossas limitações, porque ganhamos aí uma chance de mudar. Mais interessante ainda é ganhar a oportunidade de fazer diferente com os nossos filhos:

— Eu quero mais, mãe...

Ele já havia comido bastante. Qualquer colher a mais, do meu ponto de vista, seria exagero.

— Meu bem, depois de tudo que você comeu, o que o seu corpo está te dizendo sobre a sua saciedade? Sente a sua barriguinha aí. Ela está cheia? Ela realmente aguenta mais comida? Seu corpo é o seu melhor amigo, filho. O melhor de todos, está sempre com você. Ele te conta tudo que ele precisa.

— É?

— É! Sabe o que acontece quando comemos muito além do que o corpo pede? Ficamos pesados, cansados. Sabe por quê? Porque dá mais trabalho ao corpo, porque ele tem que lidar com um monte de comida que ele não precisa. Eu não vou te dizer que você deve comer mais ou menos. Eu quero que você respeite o seu corpo e cuide dele. Você precisa cuidar dele, porque ele é a sua casa.

Ele fechou os olhos, respirou fundo – ensinei que três respirações profundas nos conectam melhor com o nosso corpo – e me disse:

— É, mãe, acho que só mais uma colher. Meu corpo tá gritando para eu parar.

Os filhos nos trazem a ilusão de que seremos eternos. Esquecemos que podemos morrer amanhã. Que não há no mundo qualquer garantia ou certeza de que estaremos ao seu lado, amarrando os seus sapatos ou controlando a sua alimentação. Esquecemos que viverão em nossa casa por pouco tempo. Existe como preparar alguém para a vida sem prepará-lo para cuidar de si? Cuidar da própria higiene, da alimentação, do corpo, do que ouve e lê, do que fala? Não aprendemos, pelo menos a maioria de nós, a cuidar de nós mesmos. Temos o costume de cuidar do outro e esperar que, em retribuição, ele cuide de nós. E assim passamos para os nossos filhos a impressão de que o outro é mais importante do que eles mesmos, que a opinião alheia vale mais do que a autoimagem. O autocuidado é um aprendizado que devemos interiorizar na vida, como pais, e na vida das crianças. A seguir, deixo dicas de como fazê-lo:

ESTIMULE O CUIDADO COM A HIGIENE PESSOAL.

Coloque a escova de dentes e o creme dental em lugar de fácil acesso para a crianças. Ensine-a a lavar o corpo, indicando a quantidade de sabonete, xampu e condicionador que deve utilizar, de maneira que, em breve, ela seja a responsável pelo próprio banho. Ensine como verificar se as roupas estão limpas e onde devem ser depositadas se estiverem sujas, deixando clara a rotina de limpeza da casa. Estimule-a a dobrar e a guardar as roupas limpas.

> **O autocuidado é um aprendizado que devemos interiorizar na vida, como pais, e na vida das crianças.**

ESTIMULE O CUIDADO COM A CASA.

Devemos incluir a criança no cuidado da casa não porque um dia terá a casa dela, mas sim porque deve cuidar do ambiente onde mora hoje. Lavar os pratos, arrumar a cama, limpar o banheiro, tirar a poeira dos móveis, colocar e retirar os pratos na mesa para o jantar: são vários os pequenos gestos de cuidado com a casa que a criança pode executar, para que perceba que cuidar do ambiente onde vive é também cuidar de si.

ESTIMULE O CUIDADO COM A SAÚDE.

Explique para a criança, de maneira leve, a função dos alimentos: apresente os que são saudáveis e os que devem ser exceção, e não rotina, na alimentação. Explique a importância do sono, de brincar longe das telas. Não em tom de quem dá uma aula ou um sermão, mas como quem explica como amarrar os sapatos.

ESTIMULE O CUIDADO COM OS SENTIMENTOS.

Conforme tratei no capítulo 2, nomeie os sentimentos, apresente ferramentas para lidar com eles. Cuidar do próprio sentir é essencial para a saúde física e emocional do ser humano.

ESTIMULE O CUIDADO COM AS RELAÇÕES.

Ensinar a olhar para o outro com compaixão, estimular e valorizar os atos de generosidade e gentileza é assumir a responsabilidade social pelas crianças que educamos. É importante que entendam que vivemos em uma interdependência com as outras pessoas e que estamos conectados. Vivemos em rede, não sozinhos.

Estimular a autonomia não quer dizer que deixaremos as crianças entregues a si mesmas, mas que as prepararemos para que, no dia em que assumirem o gerenciamento da própria vida, tenham as ferramentas necessárias para fazê-lo da melhor maneira possível. Segundo o filósofo e doutor em psicologia Juan Ignácio Pozo, o objetivo do mestre é tornar-se desnecessário. Desejo que sejamos bons mestres para as nossas crianças.

 RESUMO DO CAPÍTULO

- Os filhos não são nossos, mas deles mesmos. Nós somos os cuidadores até que tenham a capacidade de cuidarem de si sozinhos;

- Desenvolver a autonomia, a capacidade de tomar decisões e a responsabilidade pelo cuidado de si pode transformar positivamente o futuro das crianças;

- O papel dos pais é serem treinadores que se colocam ao lado, que auxiliam nas intempéries, que estimulam a cria-

PREPARANDO PARA A VIDA

tividade, que ofertam a mão sempre que necessário e que apresentam a vida sem filtros. Não é fazer pelos filhos. Não é controlar;

- Devemos treinar os nossos filhos para as atividades diárias em vez de apenas cobrar que as tarefas sejam executadas;

- Permita as escolhas, dentro de limites preestabelecidos;

- Crie um quadro de rotinas, escute as dúvidas e anseios e explique sobre consequências;

- O óbvio não existe, o fácil é um conceito relativo;

- Ensine, não faça pela criança. Valorize o esforço dela;

- Estimule o cuidado com a higiene, com a casa, com a saúde, com os sentimentos e com o outro.

MUITO ALÉM DA OBEDIÊNCIA

5

A COOPERAÇÃO

Segundo o *Dicio*, dicionário *on-line* da língua portuguesa, "obediência" significa: "ato pelo qual alguém se conforma com ordens recebidas. Mando, domínio. Sinônimo de submissão e docilidade." Se contextualizamos historicamente, não é difícil entender por que se tornou a palavra de ordem na educação de crianças.

Por muito tempo vivemos em uma sociedade patriarcal, em que as relações eram baseadas em dominação: do povo pelo governante, da mulher pelo marido, da criança pelo adulto mais próximo. Pessoas que questionavam pouco as autoridades eram mais fáceis de lidar. Estamos caminhando para mudanças nas relações de poder: o governante deve, pelo menos em teoria, ser o representante do povo; homens e mulheres devem ter iguais direitos e deveres dentro das relações. Questionamos a docilidade e a submissão como regra. No entanto, mantivemos esta expectativa irreal sobre os nossos filhos. Queremos que acatem o que desejamos, da forma que desejamos. Não sei como soa para você, mas não desejo seres submissos e dóceis no futuro. Quero filhos responsáveis, conscientes de si e do seu papel no mundo, confiantes, criativos – e nenhuma dessas características combina com docilidade e submissão. A persistência que o mercado de trabalho tanto valoriza no adulto é, na infância, chamada de teimosia. A criatividade, essencial para a resolução de problemas, é repelida na criança como se fosse um mal. Como disse anteriormente, seguimos plantando limões e torcendo para que a colheita seja de lindas, doces e suculentas melancias.

"Cooperação", também segundo o *Dicio*, significa: "ação de cooperar, de auxiliar e colaborar, prestando ajuda ou auxílio; dar contribuição para."

O que lhe parece mais próprio para uma convivência familiar harmoniosa, desenvolvimento de responsabilidades e habilidades que desejamos ver no futuro? Qual das duas palavras melhor traduz os seus anseios? Que tipo de relação parece mais leve, fluida e agradável para você e para a criança?

ÉRICA

Fiz essa pergunta em um dos meus workshops. Érica, uma das mães presentes, levantou a mão imediatamente. Ela me disse que toda aquela teoria era linda, mas não funcionava. O filho, um menino de 4 anos e meio, só fazia qualquer coisa se ameaçado. Ela não batia, considerava isso um ato covarde, mas estava perdida no dia a dia. Conseguir a cooperação seria maravilhoso, mas parecia algo impossível com uma criança que dormia e acordava de mau humor. Perguntei quantas vezes ela pensava em formas de conseguir a cooperação; ela respondeu que sempre começava a falar sem brigar ou gritar. Percebi uma confusão comum: acreditamos que basta não bater e não brigar. Pedi que ela aguardasse até o fim do debate para voltarmos à sua pergunta. Segui apresentando ferramentas, e a observei fazendo várias anotações. Volta e meia surgia uma dúvida. Quando retomamos a conversa, ela contou que nunca havia pensado em nada do que conversamos. Não somos incentivados a estudar para educar filhos e achamos que todos nascemos sabendo. Érica saiu do nosso encontro cheia de ideias.

POR QUE ABANDONAR OS SERMÕES

ISIS E GABRIEL

Isis tinha um filho adolescente de 16 anos. Um dos comportamentos do adolescente que mais a irritava era a roupa que ele retirava antes do banho e deixava no chão do banheiro. Todos os dias ela dava o mesmo sermão, no mesmo horário: "Eu não aguento mais falar com você, Gabriel! Sua roupa vai ficar mofada se você deixar aqui! O que custa colocar no cesto de roupas sujas? Parece que eu falo com as portas nesta casa! Você não me escuta! Todo dia eu tenho que falar a mesma coisa! Você

MUITO ALÉM DA OBEDIÊNCIA

não tem mais idade para isso! Tem que cuidar das suas coisas! Eu quero ver quando tiver a sua casa, se vai ser essa bagunça que você faz aqui."

Em regra, enquanto falava, Isis recolhia toda a roupa do filho e colocava no cesto. Mas aprendeu que deveria falar menos e agir mais, e mudou a postura. O sermão, que tanto a desgastava, saiu da rotina. Ela simplesmente permitiu que as roupas ficassem no canto do banheiro. Durante quase uma semana as roupas se acumularam. Ela as retirava para limpar o cômodo e depois as recolocava no lugar onde estavam. Em pouco tempo Gabriel percebeu que a mãe não lavava mais as suas roupas e que uma camisa de que gostava muito havia mofado. Passou então a pegá-las e a colocá-las no cesto, junto com as de toda a família, para serem lavadas. Uma semana de mudança de postura trouxe resultados mais efetivos do que os vários meses de sermão.

Lembro que, quando os meus pais iniciavam um sermão, na segunda palavra eu desligava a minha capacidade de escuta. Creio que nunca prestei atenção em nenhum desses discursos do início ao fim. Está neste ponto o grande problema dos sermões: eles não conectam, não passam a mensagem que desejamos que passem. Falamos por meia hora e não somos verdadeiramente ouvidos nem por cinco minutos. Em vez de nos conectarmos com os nossos filhos, nós nos distanciamos. A cada vez que discorremos sobre o nosso ponto de vista por muito tempo, retiramos o foco do problema e o colocamos na nossa relação. Em vez de refletir sobre o erro ou sobre o problema a ser resolvido, os pensamentos de "Nossa, como a minha mãe é chata!" ou "Eu sou muito ruim mesmo..." substituem a autoavaliação e o desenvolvimento de responsabilidade.

> A nossa linguagem habitual nos desumaniza. Quantas vezes, diante de um sermão, pensamos no que os nossos pais estavam sentindo, buscando identificar os seus sentimentos e necessidades?

A nossa linguagem habitual nos desumaniza. Quantas vezes, diante de um sermão, pensamos no que os nossos pais estavam sentindo, buscando identificar os seus sentimentos e necessidades? Quantas vezes os consideramos humanos como nós? Perceba como são, em regra, as nossas conversas. Nós escutamos o que o outro nos traz já pensando na forma como responderemos aos seus argumentos. A cada vez que os meus filhos entendem que precisam se defender do que digo, eles não me ouvem; a mensagem que busco transmitir não chega a eles. E, convenhamos, o sermão não é chato apenas para eles. Nós também ficamos exaustos e frustrados ao vivenciar diariamente os mesmos problemas, como se os dias apenas se repetissem. Mais adiante, apresentarei formas de melhorar a comunicação com os filhos, quebrando esse triste ciclo. Mas antes é importante frisar estes pontos:

A MUDANÇA DEVE PARTIR DE VOCÊ.

Nenhuma criança vai à livraria mais próxima comprar um livro intitulado *Como melhorar a relação com os adultos* ou *Como estimular a comunicação empática com os seus pais*. Eles também não vão procurar canais no YouTube sobre isso ou ler textos com esse tema nas redes sociais. Pensar em formas de melhorar o dia a dia é dever dos pais. Logo, se os desafios diários são grandes, é o nosso papel planejar mudanças. Somos nós os responsáveis pela melhora.

FALE MENOS, AJA MAIS.

Assim como Isis, a maioria dos pais reclama, briga, reprisa o Sermão da Montanha, e, no fim das contas, age de maneira contrária ao que fala. Há um dito popular que afirma que uma atitude vale mais que mil palavras; essa máxima é preciosa na prática com os filhos. A conversa e o entendimento devem ser a base das relações, mas não devemos confundir isso com um falatório excessivo, repetitivo e vazio. Não é possível forçar seu filho a se comportar como você deseja, mas é possível decidir como agir quando ele não adotar o comportamento desejado. Temos pouco poder sobre o comportamento do outro, mas temos poder sobre o nosso comportamento diante do que o outro faz. Depois de conversar e explicar ao filho as consequências do seu comportamento, Isis decidiu agir. No capítulo 6 falaremos melhor sobre consequências, por ora é importante lembrarmos

MUITO ALÉM DA OBEDIÊNCIA   103

que a fala e a atitude devem estar alinhadas e que na maioria das vezes que falamos muito estamos agindo pouco.

PERSISTÊNCIA E CONSISTÊNCIA SÃO IMPRESCINDÍVEIS.

Crianças precisam de regras para um desenvolvimento seguro e saudável. A previsibilidade que as regras trazem melhora a capacidade de cooperação e auxilia no desenvolvimento das responsabilidades. Ocorre que a maioria dos pais flexibiliza demais as regras, dando respostas confusas para os filhos. Contribuímos com os maus comportamentos e com o caos diário quando damos respostas diversas para um mesmo comportamento. Se ontem a criança não pôde comer biscoito antes do almoço, mas hoje eu permiti, passei a ideia de que não existe uma regra fixa sobre o tema e que ela deve tentar até que, entre as várias respostas possíveis, apareça a que ela deseja. Persistir nas regras que julgamos essenciais, criando a maioria delas com a criança, oferecendo sempre a mesma resposta com consistência, demonstra que o grito, o choro e a grosseria não são formas eficazes de conseguirem o que querem. A rotina não deve ter a rigidez militar; as exceções existem e são, de certa forma, divertidas, mas devem ocupar o lugar de exceção.

ANTES DE MELHORAR, PIORA.

Quando chamamos o elevador e ele demora a chegar, apertamos o botão inúmeras vezes seguidas. Se o controle remoto para de funcionar, apertamos o botão inúmeras vezes, na esperança de que volte a ligar/desligar a TV. Só depois de percebermos que o elevador está quebrado e não voltará a funcionar ou que o controle está sem as pilhas, buscamos uma outra forma de resolver a questão. O comportamento do seu filho não é diferente. As nossas atitudes reforçam o comportamento das crianças; romper com a lógica conhecida tende, inicialmente, a agravar o comportamento, para só depois melhorá-lo. É provável que seu filho grite mais, chore mais, esperneie mais. Mantenha-se

EDUCAÇÃO NÃO VIOLENTA

gentilmente firme, amorosamente assertivo. A resistência às mudanças é algo normal e esperado. Persista.

APRENDENDO A OBSERVAR

Nossos problemas na comunicação iniciam com a nossa dificuldade de observar sem julgar. O que os nossos olhos veem e o que a nossa mente processa são coisas muito diferentes. Como dito no capítulo sobre autenticidade, somos contadores de história compulsivos. Contamos as mais diversas histórias, diariamente, sobre todas as situações que vivenciamos. Admito que alguns filmes de Hollywood têm roteiros menos elaborados que os meus pensamentos quando estou perdida entre os meus julgamentos sobre a realidade. O grande problema é que acreditamos nesses julgamentos e os tomamos como verdades absolutas. Quando acreditamos nas histórias que contamos em nossa cabeça, nos distanciamos brutalmente da realidade e desconsideramos as características específicas daquela situação ou contexto. Falamos como se a vida fosse estática, imutável, e esquecemos que ela é fluida e acontece aqui e agora.

Na prática de meditação, dizemos que há, dentro de todos nós, um "eu" observador e que, à medida que temos contato com ele, nos "desidentificamos" com as histórias que passam com imensa velocidade em nossa mente. Acreditamos que nós somos o que pensamos e esquecemos que os pensamentos são criações do nosso imaginário.

Por que falar de observação aqui, neste capítulo sobre cooperação? Porque é a partir do que observamos que decidimos como agir. Se a forma como descrevemos o que acontece conosco está contaminada, todo o restante, muito provavelmente, também estará. A observação é o primeiro passo da comunicação não violenta, que, na ausência de palavra melhor, pode ser descrita como um método de comunicação que nos une à nossa natureza compassiva, fazendo com que falemos e escutemos a partir dela, uma verdadeira revolução na forma de ver as relações intrapessoais, interpessoais e sistêmicas.

Como você descreve os seus principais problemas disciplinares? "Ele nunca colabora!" é um julgamento; "Nas últimas três vezes que pedi que guardasse os brinquedos, ele não o fez" é uma observação. "Ela está me desafiando!" é um julgamento; "Ela continuou desenhando na parede mesmo após eu pedir que parasse" é uma observação. "Ela chora demais!" é um julgamento; "Nas últimas vezes que foi contrariada, ela chorou!" é uma observação. Chorar demais ou de menos depende do referencial de quem fala, não é uma verdade absoluta. Se desejamos efetuar mudanças significativas, positivas e empáticas na relação com os nossos filhos, precisamos reconhecer os nossos julgamentos como criações da nossa mente, percepções baseadas em nossa história, mas não como realidade. Quando falamos que alguém é alguma coisa, estamos julgando. "Você é bonzinho!" é diferente de "Quando você me atende tão rapidamente, eu acho que está sendo bonzinho!". "Você vive deixando as roupas em cima da cama" é um julgamento. Ninguém vive fazendo apenas uma coisa.

Focar na observação verdadeira minimiza a resistência de quem nos ouve, aumentando assim as nossas chances de sermos atendidos.

Outra forma de confundir julgamento com observação são as previsões. No que se refere à vida dos filhos, somos cheios de certezas. "Você vai se dar mal na prova!"; "Você vai quebrar a cara andando com esses amigos"; "Você vai se arrepender de não me ouvir". Não é um problema emitir opinião, desde que deixemos claro que é uma opinião. Um "Eu acho" é a melhor maneira de iniciar essas frases. Sempre, nunca, jamais, raramente e com frequência são palavras que exprimem avaliação, não são observações.

Focar na observação verdadeira minimiza a resistência de quem nos ouve, aumentando assim as nossas chances de sermos atendidos. Se inicio a frase com "Você nunca me atende", induzo o meu filho a interromper a escuta para vasculhar em sua mente um dia em que me atendeu e me provar que estou errada. Isso também vale para quando digo que algo irá acontecer. Induzo quem me escuta a me provar que estou errada, fazendo exatamente o que pedi que não fizesse. Pense em sua própria história, quantas vezes quis provar para os seus pais que eles estavam errados? Quantas vezes quis demonstrar que tinha o controle da situação, ignorando completamente suas solicitações? A forma como falamos pode chamar um filho para a briga ou convidá-lo a baixar a guarda, e é um exercício diário ter atenção ao que buscamos em nossas conversas e interações.

PEDIDOS ASSERTIVOS

Estávamos na praia e o meu filho mais velho, Miguel, aproximou-se pedindo água de um jeito que julgo grosseiro.

— Me dá água!
— Filho, eu não gosto que falem comigo com grosseria. De que forma você pode falar para que eu tenha vontade de te atender?

Ele parou, cerrou os punhos com raiva pela negativa, depois se acalmou. Então tentou de um jeito diferente, mais amável:

— Mãe, você pode comprar água?
— Posso sim, meu bem. Obrigada por falar com respeito.

Um amigo observava a cena e começou a sorrir.

— Nós, adultos, não pensamos no jeito como vamos pedir, imagine uma criança!
— Não pensamos porque não fomos ensinados a isso. Aprender a pedir deveria ser ensinado desde que a gente começa a falar – respondo.

Todas as nossas interações com o outro são embutidas de pedidos. Estamos sempre pedindo, mesmo que inconscientemente. Não existe falar por falar. Pedimos escuta, atenção, retorno, cumplicidade, opinião. Pedimos sem saber que estamos pedindo. E é exatamente essa falta de consciência no pedir que faz da maioria dos nossos pedidos suicidas: pedimos de uma forma que diminui as chances de sermos atendidos. E, se você precisa pedir a mesma coisa inúmeras vezes para o seu filho, fica claro que é o momento de mudar a estratégia, considerando os seguintes pontos:

FAÇA PEDIDOS POSITIVOS.

Fale o que deseja que o seu filho faça, não o que não deseja. Comunicamos para a criança o que queremos que ela não faça e deixamos que conclua sozinha a melhor forma de agir. Dizer o que espera é a melhor forma de ter o seu pedido atendido. O óbvio não existe, e o que pode parecer óbvio para você talvez não seja para o seu filho. Além disso, frases que iniciam com "não" aumentam a resistência da criança. Importante lembrar que crianças de até 2 anos não compreendem o não da forma como falamos, negar algo é um conceito complexo para elas. Por isso, é comum uma criança pequena olhar para os pais, repetir o "nãaaaaaaaao" e continuar com o comportamento.

FAÇA PEDIDOS CONCRETOS E EXEQUÍVEIS.

Outro ponto comum na nossa comunicação são os pedidos vagos. Carinho, amor, respeito, cuidado são conceitos relativos e que não deixam claro para quem escuta o que esperamos. Como o seu filho pode demonstrar respeito? Como pode demonstrar carinho? O mais interessante no exercício de tirar os nossos pedidos da abstração é que tomamos consciência de que alguns desejos nossos jamais serão atendidos, porque são irreais. Eu falava muito sobre respeito com o meu filho mais velho, até que parei para pensar no que seria respeito para mim e concluí que seria ele fazer o que eu quero, do jeito que quero, sem questionar. Ok, eu iria viver sem achar que ele me respeitava, porque ele jamais agiria assim. Uma amiga percebeu que o "quero que você me ame" que tanto falava ao namorado jamais seria atendido, porque ela não sabia formular como ele poderia demonstrar esse amor. Se ela não conseguia saber como se sentiria amada, por que ele conseguiria?

FAÇA PEDIDOS CURTOS.

Grandes discursos são difíceis de acompanhar. Quanto menos palavras utilizamos ao pedirmos algo aos nossos filhos, maiores as chances de termos o pedido atendido. "Tira a toalha molhada de cima da cama, você sabe que pode mofar o colchão! Todos os dias eu falo! Além disso, a toalha não seca. Custa muito colocar no varal?" Pode ser substituído por "Filho, a toalha!", em tom de lembrete, não de bronca.

FAÇA PEDIDOS POSSÍVEIS.

Quantas vezes pedimos que os filhos façam algo que a sua pouca maturidade, idade e desenvolvimento psicológico não permitem? Quantas vezes as nossas expectativas sobre eles são irreais e contrárias à sua natureza infantil? Certa vez, em um workshop, um casal conversava comigo sobre a teimosia do filho. A criança de cerca de 3 anos estava no evento, e eles reclamavam porque não ficava quieta, como haviam pedido ao saírem de casa. Quais as chances de uma criança de 3 anos permanecer sentada, quieta, por cinco horas? Expliquei que, em situações como aquela, eles precisavam ajudar a criança a cumprir o combinado: livros, cadernos e canetas, brinquedos que fazem pouco barulho.

FAÇA PEDIDOS CONSCIENTES.

Qual a importância do que você está pedindo? Quais são os sentimentos que tem a respeito deste pedido? Quais são as necessidades que busca suprir com ele? Quando nos conectamos com o que sentimos, a forma de pedir muda. Tenha consciência das suas expectativas a respeito do que pede e comunique à criança.

"Nós vamos hoje para um evento em que você não pode correr nem fazer barulho. É muito importante para nós que tudo corra bem, esperamos por esse dia com ansiedade. Sei que ficar quietinha pode ser muito difícil. Como podemos te ajudar a cumprir a regra?"

TRAZENDO LEVEZA AO DIA A DIA

LÍGIA

Lígia participou de um evento em que falamos sobre formas de conseguir a cooperação. Com dois filhos adolescentes, a cooperação era algo de que ela precisava muito e que parecia impossível de conseguir. No entanto, ela saiu do evento disposta a tentar. Ao chegar em casa, teve a primeira oportunidade de colocar o aprendizado em prática. As roupas espalhadas sobre a cama eram motivo de longos sermões diários. Desta vez, não. Fez um bilhete bem-humorado e deixou sobre a pilha. O filho pegou o bilhete, sorriu e não fez nada! As roupas continuavam lá. Lígia lembrou que precisava persistir. Na manhã seguinte, apesar da imensa vontade de seguir com um sermão, fez um novo bilhete divertido. E eis que o menino juntou os dois bilhetes, colou na porta do guarda-roupa e guardou todas as peças que estavam na cama. A mensagem que recebi dela, na mesma manhã, me dizia que não acreditava que tinha dado certo. Tanto desgaste diário com sermões quando a solução era simples e estava ao seu alcance.

Uma das palavras mais importantes na educação de filhos é a criatividade. Na realidade, a criatividade é essencial para a vida. Por muito tempo ouvimos que era algo ruim, que não servia para nada, que importante mesmo eram a matemática e o português, enquanto deixávamos essa importante ferramenta empoeirada em alguma gaveta da nossa mente. Filhos são um chamado para sermos mais divertidos, criativos e alegres. São uma licença para sermos bobos e ilógicos. Precisamos aproveitar mais essa oportunidade. O aprendizado não precisa ser duro e sisudo, pode ser leve e fluido.

EDUCAÇÃO NÃO VIOLENTA

O sermão pode ser substituído por um bilhete engraçado, como o que a Lígia utilizou. Pode, inclusive, ser aplicado a crianças que não sabem ler. Meus filhos, mesmo antes da alfabetização, amavam quando eu lhes deixava bilhetes, era especial a mamãe escrever para eles. A voz nervosa e irritada pode ser substituída por uma voz de robô. As ordens podem ser cantadas. A rotina pode ser vivida em ritmo de brincadeira. Basta um esforço consciente para que as coisas mudem.

Normalmente, quando falo sobre criatividade na educação, ouço a seguinte frase: "Depois de um dia cheio, de trabalhar e resolver problemas, eu estou exausto. Não tenho paciência ou disposição para pedir as coisas brincando." Educar é uma missão cansativa, sobretudo da forma isolada e solitária que, em regra, os pais atuais exercem a parentalidade. A pergunta é: o que cansa mais? Brigar ou brincar? Se temos poucas forças em nossos reservatórios, de que forma vamos utilizá-las? A experiência tem me mostrado que, todas as vezes que quero conseguir algo na base do "faça porque eu estou mandando", entro em uma disputa de poder que drena a minha energia. O mau comportamento piora, eu aumento a repressão a ele e o que poderia ser resolvido com cinco minutos de brincadeira leva vinte minutos de estresse e, no final das contas, fico com o corpo inteiro dolorido e com a sensação de que fui atropelada por um caminhão. Definitivamente, não é a melhor maneira de canalizar as energias, sobretudo em dias cansativos.

MINHA IRMÃ E AS CRIANÇAS

Certo dia, minha irmã estava em minha casa e, aproveitando a sua visita, pedi-lhe que desse banho nas crianças, à época com 4 e 2 anos. Era final do dia e estávamos todos exaustos. Ela, de um jeito sério, chama as crianças, que respondem um não em coro. Aconselho um chamado mais divertido, visto que, com aquele ânimo, nem eu tinha vontade de ir com ela. Novo convite, dessa vez, mais divertido: "Quem quer brincar de espuma na barriga?" Em menos de dois minutos os dois já estavam sem roupa, aguardando no banheiro. Trazer leveza aos dias leves é fácil. Difícil é aplicá-la nos dias inesperados, confusos, decepcionantes, mas é exatamente nesses dias que é mais necessária.

REUNIÕES DE FAMÍLIA

As tarefas domésticas eram um motivo de estresse na casa de Lígia. Assim como saiu do workshop disposta a tornar os dias mais leves, Lígia tinha em mente a missão de tirar o controle das suas mãos e tornar a família inteira mais participativa nas decisões. Dois dias após o evento, ela reuniu os dois filhos adolescentes e o marido, e, juntos, decidiram quem ficaria responsável por fazer cada uma das tarefas. Ao contrário do que sempre fazia, determinando quem deveria fazer o quê, como e quando, Lígia permitiu que escolhessem qual atividade lhes interessava mais, estabelecendo um prazo para que as cumprissem. E, pela primeira vez nos últimos anos, as atividades domésticas eram cumpridas pelos filhos e marido sem estresse ou desentendimentos. Por terem tido a oportunidade de escolher, os adolescentes se comprometeram mais do que quando as atividades eram impostas. A mãe pôde então perceber que muito da carga que insistia em carregar poderia ser dividida com a família.

Imagine a seguinte cena: você trabalha em uma equipe na qual todos se sentem valorizados. A chefe reúne o grupo uma vez por semana para decidirem juntos os projetos mais relevantes, organizar a rotina e ouvir eventuais queixas. Todos têm o direito de voz e voto e, mesmo quando a questão é uma regra que não pode ser alterada, a solicitação é ouvida e a negativa é dada de maneira respeitosa. Agora vamos mudar a cena. Novamente você trabalha em equipe, mas nela todos se consideram menosprezados pela chefe. As decisões são tomadas unilateralmente, e você e seus colegas apenas recebem um comunicado com o comportamento esperado. No comunicado, a frase "Comportamentos contrários ao determinado serão punidos com descontos no salário ou demissões" é uma constante. Qual das equipes funciona melhor? Em qual delas os funcionários são mais criativos, interessados e comprometidos com as regras? Em qual delas há mais mentira? A maior parte dos pais decide tudo na vida em família. A criança, como dito no capítulo sobre autonomia, é passiva na rotina. Mas será que eles não se comprometeriam mais com decisões e regras que ajudaram a construir? Reuniões de família deixam a rotina mais leve e fluida, desenvolvem a responsabilidade na criança, incentivando a capacidade de resolver problemas. Além disso, fortalecem nela a convicção de que suas opiniões são válidas e importantes, estimulando que se posicione sempre que julgar necessário. Estimulam a escuta, a capacidade de negociação e o cuidado coletivo. São muitos os livros que falam delas exatamente por conta dos seus inúmeros benefícios. Descubra a melhor forma de incorporar as reuniões em sua rotina familiar, considerando os seguintes pontos:

REALIZE PERIODICAMENTE.

Incorporar as reuniões à rotina familiar é colocá-las no rol dos compromissos de todos. Pode ser semanal, quinzenal, no máximo mensal.

TENHA UMA PAUTA.

Deixe um papel e uma caneta em lugar de fácil acesso para que todos possam escrever – ou ditar para um adulto, no caso das crianças que não são alfabetizadas – os temas que julgarem pertinentes. Em minha casa, a pauta fica na porta da geladeira.

NÃO INTERROMPA.

As reuniões não são um momento para broncas e sermões, nem uma oportunidade para que você busque convencer a todos de que seu ponto de vista é o melhor. Cada membro da família tem o direito de falar e expor a sua opinião, sem interrupções. Quando um fala, o outro escuta. Caso considere pertinente, tenha um objeto da fala; quem estiver com ele nas mãos fala, enquanto os outros escutam.

AS DECISÕES VALEM PARA TODOS.

As decisões tomadas na reunião de família devem ser seguidas por todos da casa, inclusive os pais. Seguir as regras criadas demonstra respeito e, principalmente, modela o comportamento que esperamos das crianças.

ORGANIZEM A SEMANA.

As reuniões são uma excelente oportunidade para incorporar a organização do dia na rotina das crianças. Conversem sobre a programação de todos, aulas que ocorrem no contraturno da escola, compromissos com amigos ou colegas, além da divisão das tarefas domésticas.

PLANEJEM COISAS BOAS.

Muito além de buscar soluções para os problemas, aproveite a oportunidade para planejar a festa de aniversário, a próxima viagem em família, a diversão ou o lazer que terão, juntos, na semana.

RESPEITE A FAIXA ETÁRIA DA CRIANÇA.

Crianças a partir dos 4 anos são perfeitamente capazes de participar das reuniões, contribuindo da forma que a sua pouca idade e experiência de vida permitem. Respeite os seus esforços e suas falas, não ria ou ridicularize suas ideias.

 RESUMO DO CAPÍTULO

- A cooperação desenvolve responsabilidades, além de tornar os dias mais fluidos e leves;

- Sermões são chatos e cansativos. Algumas atitudes valem mais que horas de falatório;

EDUCAÇÃO NÃO VIOLENTA

- Persistência e consistência são imprescindíveis para que as crianças compreendam e sigam as regras;

- É normal que as coisas piorem antes de melhorar. Mantenha-se gentilmente firme;

- Observações verdadeiras são descrições da realidade isentas de julgamento. Quanto mais contaminamos os fatos com as nossas opiniões, maior a resistência de quem nos ouve;

- Faça pedidos positivos, concretos e exequíveis, curtos, possíveis e conscientes;

- Humor e criatividade tornam os dias mais leves e fluidos. Use e abuse deles;

- Inclua as reuniões de família na rotina. Elas são excelentes oportunidades de saber o ponto de vista de todos e equalizar os seus interesses, além de desenvolverem a responsabilidade e fortalecerem a autoestima.

ABANDONANDO AS PUNIÇÕES

6

Meus pais cantavam no coral da igreja, e uma vez por semana aconteciam os ensaios. Enquanto os adultos ensaiavam, as crianças ficavam brincando em uma sala próxima. De tempos em tempos, um adulto aparecia, observava se estava tudo bem e saía. Certa vez, enquanto brincávamos de jogar um bicho de pelúcia para o alto para depois pegá-lo antes de atingir o solo, a minha irmã, Déborah, subiu em uma pesada cadeira de madeira, que, não sei explicar ao certo como, virou e bateu em sua cabeça. Eu tinha 8 anos, ela, 6. As crianças ao redor eram todas da mesma faixa etária. Imediatamente o sangue escorreu pelos seus cabelos e o grito ensurdecedor saiu acompanhado de muito choro. Ficamos todas apavoradas, mas não pelo sangue no cabelo da minha irmã. Corremos para perto e tentamos tapar a sua boca para que os adultos não chegassem. Umas com voz de choro, outras nervosas, mas todas com a mesma fala: "Para, Déborah, não grita, senão a gente vai apanhar!"

Bater em crianças é algo considerado normal na cultura brasileira, norte-americana e em diversos outros países. Em nenhuma outra relação os castigos físicos são permitidos. Somente na relação em que a desigualdade emocional e física é mais gritante é que as agressões são travestidas de método educativo. São incentivadas e estimuladas. Não existe criança que precisa apanhar, por mais terrível que pareça o seu comportamento. O ato de bater diz mais sobre a falta de habilidade de lidar com as emoções de quem bate que sobre a necessidade de ser corrigido de quem apanha. Este é um capítulo destinado a apresentar maneiras assertivas e amorosas de educar os nossos filhos sem ferir a sua autoestima ou a nossa relação com eles e, antes de me aprofundar nestes métodos, desejo falar sobre os malefícios das palmadas e demais castigos:

INDUZEM A MENTIRA.

A criança aprende que irá apanhar ou ser castigada SE o adulto descobrir o seu mau comportamento. A mentira se faz muito presente na relação de pais e filhos exatamente porque o medo que as punições despertam a torna mais atraente e fácil.

NÃO DESENVOLVEM A RESPONSABILIDADE.

O foco não é aprender com os erros e falhas cometidos e repará-los sempre que possível. As punições normalmente induzem a pensamentos de "Como meus pais são injustos" ou "como eu sou ruim" em vez de estimularem a autoavaliação e a busca por formas mais construtivas de agir em situações semelhantes.

NÃO FUNCIONAM A LONGO PRAZO.

É importante frisar que, momentaneamente, as punições parecem eficazes. Elas encerram o comportamento no momento em que ocorrem – e na frente do adulto. Acontece que não apresentam formas mais adequadas de lidar com o sentimento que gerou aquele comportamento, não ofertam para a criança ferramentas para utilizarem nas situações futuras. A educação que apenas reprime o comportamento não prepara para o futuro, não desenvolve a autodisciplina.

ABALA A AUTOESTIMA.

Muitos estudos têm sido realizados para comprovar o que deveria ser óbvio. Palmadas e castigos físicos abalam a autoestima, prejudicam o desenvolvimento saudável da autoimagem e podem, em alguns casos, estimular um comportamento antissocial. A maioria deles está disponível em uma busca rápida nos sites de pesquisa.

ESTIMULAM A OPRESSÃO A CRIANÇAS MENORES.

O uso da força sempre que existir uma condição de superioridade, perpetuando um triste ciclo de violência.

INDUZEM AO DESEJO DE VINGANÇA OU À AUTORRECRIMINAÇÃO.

Ambos ferindo a relação da criança consigo mesma e com os pais.

MISTURA CONCEITOS QUE JAMAIS DEVERIAM CAMINHAR JUNTOS.

Violência e amor. Se ensino aos meus filhos que bato neles porque os amo, estou informando que, em determinadas situações, os sentimentos e julgamentos deles justificam as palmadas sobretudo se nomeados como amor.

E OS CASTIGOS?

Encerrei a fala sobre os efeitos prejudiciais das palmadas e uma mãe levantou a mão. Disse que nunca bateu, mas não vê nada de prejudicial em colocar a criança de castigo, retirar-lhe algo que gosta ou mandá-la para o quarto para pensar no que fez. É interessante esta crença de que podemos determinar quais pensamentos a criança deve ter quando mal conseguimos lidar com os nossos pensamentos. Pergunto para o grupo o que pensavam durante o castigo. "Alguém aqui, durante o tempo em que era obrigado a ficar sentado, pensando nas suas atitudes, realmente refletia sobre o próprio comportamento? Passava pela cabeça de vocês 'De que forma mais construtiva posso lidar com esta situação quando ela ocorrer novamente?'. Todos rimos, porque, pela nossa experiência, essa era uma reflexão tão diferente que chegava a ser engraçada.

Uns contaram que pensavam em vingança. Outros disseram que ficavam se sentindo culpados e tristes. Outros contaram que desejavam fugir de casa ou que os pais morressem. E outros disseram que se distraíam em poucos minutos e brincavam ou, caso fosse proibido brincar, inventavam histórias engraçadas em pensamento. A autoavaliação não foi citada por ninguém. A mãe que levantou a mão sorriu. Contou que estava no grupo da vingança e que havia esquecido. Seguimos.

COMPREENDENDO O MAU COMPORTAMENTO

VINGANÇA, QUE NOME ESQUISITO

Meu filho Miguel estava apresentando comportamentos inadequados quase todos os dias, sempre direcionados a mim, como uma espécie de provocação, e isso estava me preocupando. Por mais explosiva que seja a personalidade da criança, várias atitudes agressivas por dia demonstram que algo precisa ser mais bem cuidado. Tivemos então a seguinte conversa:

— Filho, acho que estamos precisando conversar. Esses dias você tem feito coisas de que eu não gosto, e você sabe que eu não gosto. Eu quero entender melhor o que tá acontecendo. Você me ajuda?

— Humrum...

— Você está pensando assim: "Você não manda em mim!", e por isso está me tratando assim?

— Não, não é isso!

— Ok... Você fica bravo comigo e quer me deixar brava também?

— É... É isso...

— Sabe como é o nome dessa vontade de magoar o outro quando estamos magoados? De deixar com raiva porque es-

ABANDONANDO AS PUNIÇÕES

tamos com raiva? Vingança. Todo mundo sente. A gente fica com o coração doendo e quer que o outro sinta isso também. Mas sabe qual é o grande problema da vingança?

— Vingança? Que nome esquisito... Não, qual o problema?

— É que um fica magoando e brigando com o outro e ninguém se entende. É melhor a gente brigar ou se entender?

— Se entender, né, mãe?

— Então... A vingança não é o melhor jeito de conseguir isso. Como você acha que posso te ajudar nessas horas?

— Não sei...

— Vamos combinar uma coisa? Quando você estiver com essa vontade de vingança, você me diz: "Mamãe, quero me vingar de você! Tô muito bravo!", e aí a gente conversa sobre esse sentimento e ele vai embora. Sabia que, quando conversamos sobre o que sentimos, o desejo de vingança desaparece?

— É? Eu vou falar então...

— Se eu esquecer de conversar, você me lembra?

— Lembro. E se eu esquecer, mãe? E se nós dois 'esquecer'? Se a gente não conseguir e ficar só brigando?

— Vamos tentar sempre lembrar, um ajudando o outro. Mas de vez em quando vamos esquecer... E aí a gente vai ter novas oportunidades de tentar de novo. Você lembra o que temos que fazer quando queremos muito conseguir alguma coisa?

— Hum... Treinar, né?

— Humrum... Então vamos treinar. Combinado?

— Combinado.

— Jura de dedinho?

— Juro.

Cruzamos os dedos mínimos, selando o nosso acordo. Desse dia em diante, na maior parte das vezes em que o desejo de vingança aparecia, ele falava: "Mãe, eu quero me vingar de você!". E nós sentávamos para conversar.

Quando plantamos uma sementinha e, de repente, algo parece errado, nós não a culpamos e dizemos que deve ficar bem porque lhes demos água diariamente. Nós paramos para pensar como podemos ajudar a plantinha a ficar novamente saudável. Falta água? Ou recebeu água em excesso? Será que o problema é o sol? Como está o adubo? No entanto, com as crianças, acreditamos que o mau comportamento é uma prova de que não nos consideram ou amam, de que são ruins e não reconhecem os nossos esforços. Rotulamos de teimosos, malcriados e desobedientes. Quando passaremos a olhar para o desenvolvimento infantil com curiosidade e não julgamento, como fazemos com as plantas?

Nenhum mau comportamento surge do nada. Nenhuma criança se comporta mal porque quer acabar com o humor do papai e da mamãe. Nós somos movidos por sentimentos e necessidades e, se queremos ferramentas assertivas e empáticas para lidar com os entraves que surgem diariamente, precisamos olhar para os maus comportamentos de maneira mais profunda. O que significa mau comportamento? Será que tudo que julgamos ser um mau comportamento em nossos filhos é realmente um mau comportamento ou é algo que faz parte do desenvolvimento? Será que não estamos colocando sobre as crianças expectativas que nem mesmo nós conseguimos atingir? Crianças de 2 anos costumam se jogar no chão quando frustradas, crianças de 4 anos têm forte tendência à oposição, adolescentes se afastam dos pais. Se o comportamento aparece em quase todos os exemplares da espécie, não seria a hora de pararmos de enxergar tais atitudes como comportamentos ruins e entendermos que fazem parte do desenvolvimento do ser humano? Quanto mais entendemos as fases do desenvolvimento, mais fácil fica compreender o comportamento dos nossos filhos. Perceber que determinadas características fazem parte do crescimento pode nos tornar mais hábeis a lidar com elas e a apresentar ferramentas para que as crianças também sejam capazes de fazê-lo.

> **Nenhum mau comportamento surge do nada. Nenhuma criança se comporta mal porque quer acabar com o humor do papai e da mamãe.**

ABANDONANDO AS PUNIÇÕES 123

No capítulo 2 falamos o quanto os sentimentos estão ligados ao comportamento. Em regra, quando nos sentimos bem, nos comportamos bem. Prestar atenção aos sentimentos da criança faz com que tenhamos uma melhor compreensão do que a levou a agir de determinada maneira. Que histórias estava contando em sua cabeça? Que interpretação deu à realidade? Que sentimentos essa história despertou? Que comportamentos esse sentimento costuma desencadear? Por mais complexo que esse processo possa parecer, ele nos dá um bom mapa dos padrões dos nossos filhos. Se o fizermos pensando em nosso comportamento, também teremos um excelente panorama do nosso próprio padrão. Quando falo sobre as histórias que contamos em nossa cabeça, a maioria das pessoas se identifica. Aparentemente, todos nós temos um talento natural para roteiristas de drama. As crianças também contam as suas histórias e, para agravar um pouco a situação, elas têm uma percepção bem limitada da realidade, interpretando-a de maneira mais simplista: tudo se refere a gostarmos ou não delas, no melhor estilo quem não está comigo, está contra mim. Nesta perspectiva, quanto mais brigamos, nos chateamos, falamos mal do seu comportamento, mais ela entende que não a amamos ou não a aceitamos como é. E, inconscientemente, decide se comportar de forma ainda pior.

Rudolf Dreikurs, psiquiatra e educador, baseado nas ideias de Alfred Adler, dividia as causas do mau comportamento em quatro. Essa divisão foi adotada em várias teorias sobre o comportamento infantil, inclusive a *disciplina positiva*, desenvolvida por Jane Nelsen, famosa terapeuta familiar e de casais norte-americana. Segundo ele, a criança, ao considerar que não é aceita e amada em seu meio social, acredita que pode conseguir a aceitação e o amor que lhe faltam de maneiras equivocadas.

Os objetivos equivocados são: atenção indevida, disputas de poder, vingança e a inadequação assumida.

ATENÇÃO INDEVIDA.

A criança acredita que é amada e aceita quando está no centro das atenções. E, a partir dessa convicção, busca receber atenção de modos nem sempre adequados. A minha lida diária com meus filhos e com outras famílias tem me mostrado que atenção ruim é melhor que nenhuma atenção. Crianças precisam de atenção como precisam de comida, água e noites tranquilas de sono. É necessidade básica. Ao identificarmos que o mau comportamento da criança parte de uma necessidade de atenção, devemos mostrar-lhes a forma adequada de consegui-la e minimizar a nossa resposta ao comportamento ruim.

MIGUEL E O XIXI.

Quando Helena, minha filha caçula, nasceu, a capacidade que eu tinha de dar atenção a Miguel, então com 2 anos, foi bruscamente reduzida. Não é nada fácil equilibrar a chegada de um bebê e a relação com a criança mais velha. Eu buscava incluí-lo no cuidado com a irmã, na rotina da casa e em várias situações, mas os meus esforços não impediram a interpretação equivocada de que ele já não era tão amado e querido. Todas as vezes que eu amamentava a caçula, ele fazia xixi fora do lugar. No meio da sala, no quarto. A minha reação era sempre a mesma: arrancava a pequena dos seios, colocava em um lugar onde estivesse segura e saía reclamando, brigando e limpando o xixi, tudo ao mesmo tempo. Depois de mais de dez dias nesse ciclo, eu percebi o que estava acontecendo: o xixi virou uma forma eficaz de comunicação. Eu odeio cheiro de xixi. Não gosto de sentir o molhado no chão e tenho nojo de pocinhas amarelas no meio da casa. O meu impulso de limpar era mais rápido que o meu raciocínio, e ele percebeu isso. Fazer xixi fora do lugar era algo que funcionava para conseguir a minha atenção. Mudei imediatamente o meu

ABANDONANDO AS PUNIÇÕES 125

comportamento. Mais uma vez, enquanto amamentava a caçula, ele fez xixi fora do lugar. Segui com a amamentação, contive o furacão que queria explodir dentro de mim e calmamente disse: "Filho, nós fazemos xixi no banheiro. Você esqueceu?". Depois conversamos sobre como poderia dar-lhe atenção enquanto amamentava. Decidimos por livros. No dia seguinte ele subiu em minha cama e fez xixi. Era a piora antes da melhora, eu sabia. Repeti o meu comportamento, a minha fala e lembrei dos livros. Novo dia, eu novamente amamentando. Eu já estava esperando uma piora maior, tipo encontrar xixi dentro da geladeira. E ele apareceu com um livro, um sorriso e um "Mamãe, pode ler?"

DISPUTAS DE PODER.

Há um ditado popular que diz: "Quando um não quer, dois não brigam." Cresci ouvindo a minha mãe citá-lo, porque na maior parte da vida fui adepta às brigas. Ela também recitava um versículo bíblico: "A palavra branda desvia o furor, mas a palavra dura suscita a ira." Só após a chegada dos filhos e do meu empenho em procurar formas mais empáticas de educar que compreendi toda a sabedoria contida nas palavras dela. Se a criança está disputando poder com os pais, o melhor a fazer é sair da disputa, declarar que posteriormente, quando estiverem mais calmos, resolverão aquela situação. Queremos vencer a briga e esquecemos que, dentro dos nossos relacionamentos mais íntimos e importantes, todos se machucam com as disputas. Não há vencedores. Não quero dizer aqui que faremos o que a criança quer, mas sim que não vamos manter o tom bélico que adotamos em muitas situações com os filhos, sobretudo com as crianças que têm personalidade mais desafiadora. Em vez de "Você. Vai. Pegar. Agora. Porque. Eu. Estou. Mandando", dito com pausas raivosas entre as palavras, podemos simplesmente declarar que o assunto será resolvido quando estivermos mais tranquilos. "Estamos nervosos e eu não quero disputar nada com você. Assim que me acalmar, volto para resolvermos." Utilize as técnicas de cooperação descritas no capítulo anterior. Redirecione a energia de busca de poder desta criança para algo produtivo. Repito: interromper a disputa não significa ceder e adotar a permissividade. As regras e a demonstração afetiva e respeitosa dos limites da convivência são essenciais para o desenvolvimento saudável da criança e podemos fazê-lo sem que isso se transforme numa queda de braços com os nossos filhos.

VINGANÇA.

Enquanto nos dois objetivos equivocados anteriores a criança, inconscientemente, conclui que para ser amada e aceita precisa estar no centro das atenções ou no controle, na vingança ela já concluiu que não é amada ou aceita e o que tem a fazer é vingar-se. Magoada e ressentida, a criança busca atingir aquele que foi o causador da sua dor. Todos, em maior ou menor grau, sentimos vontade de retaliar a quem nos feriu. Crianças são humanas e, assim como nós, recebem a visita de todos os sentimentos. Bater e castigar apenas agravam o mau comportamento, já que reforçam a crença de que ela não é amada e querida e aumentam o consequente desejo de revanche. Converse com a criança, ouça os sentimentos que estão alimentando o desejo de vingança e o mau comportamento deixa de existir.

INADEQUAÇÃO ASSUMIDA.

A criança considera que não é amada nem aceita e que nunca será, e por isso desiste de tentar. Torna-se apática e desmotivada, certa de que é incapaz. Infelizmente, diante dessa situação, os pais tendem a piorar as coisas e agravar tal convicção, fazendo críticas exacerbadas e empurrando-a ainda mais para a personagem que repelem. Ou fazem tudo no lugar da criança, diminuindo ainda mais sua autonomia. Ao identificar que o mau comportamento do seu filho parte de uma convicção de inadequação, estimule a ação, encoraje, demonstre confiança e ajude-o a encontrar novas formas de olhar para si mesmo. Volte para o capítulo sobre autenticidade e utilize as ferramentas propostas.

Os objetivos equivocados descobertos por Dreikurs são um excelente guia para que possamos identificar o que está por trás do mau comportamento, mas não resumem todas as possibilidades. É importante estar atento e perceber quais são os sentimentos e as necessidades que motivam as ações das crianças. Tédio e euforia são grandes desencadeadores de mau comportamento, por exemplo. Necessidades físicas não atendidas, como sono, fome e sede, também. Certo é que nenhuma criança que se comporta mal o faz porque nasceu com defeito de fábrica ou porque lhe faltam punições. Resta a nós apurar o olhar para compreender melhor as suas ações. O que falta à sua plantinha?

ALTERNATIVAS AOS CASTIGOS E PALMADAS

A pergunta que mais escuto quando falo sobre métodos educativos que fogem ao binômio punição e recompensa é: "E o que fazer?" Não sabemos como conseguir a cooperação sem ameaças, como estimular o bom comportamento sem recompensas, como incentivar a mudança de postura sem punições. Na vida real não há castigo e recompensa. Nossas atitudes têm consequências, e colheremos amanhã o que plantamos hoje. Abrir mão das punições é incentivar que a criança aprenda a se responsabilizar por seu comportamento, compreendendo que há causa e efeito no que faz, mostrando formas adequadas de agir na situação quando se repetir. No que se refere a punições, dois pontos são muito importantes:

PALMADAS NÃO SÃO AS RESPONSÁVEIS PELA EDUCAÇÃO DE NINGUÉM.

Muitas vezes me deparo com alguém agradecendo as palmadas que levou, afirmando que elas moldaram o seu caráter. É triste ver essa supervalorização da violência. Meus pais me deram colo, cuidaram quando estava doente, me alimentaram com carinho e amor. Não deixaram nada nos faltar em casa, esforçaram-se ao extremo para que tivéssemos uma educação de qualidade. Eles nos levavam ao McDonald's, que ficava em outra cidade, em datas especiais. Eram exemplo de lealdade e honestidade. O meu pai é um dos homens mais batalhadores que conheço. Admiro a sua trajetória de vida. É também compassivo e amoroso, mesmo com cara de bravo. A minha mãe é leal e forte, e é uma amiga como poucas são. Nunca a vi deixar de ajudar alguém que precisava. Como posso desmerecer o exemplo, a dedicação e todo o resto e acreditar que as palmadas me educaram? Até quando vamos sustentar esse discurso raso?

BONS COMPORTAMENTOS SURGEM DE BONS SENTIMENTOS.

Tão ilógico como supervalorizar as palmadas é esquecer que nos comportamos bem quando nos sentimos bem. Fazer a criança se sentir mal, culpada ou impor-lhe sofrimento e esperar que desta dor surjam os comportamentos adequados não faz sentido. Compreender os sentimentos que consideramos ruins e desenvolver ferramentas para lidar com eles, regulando-os, é a chave para desenvolvermos novas formas de agir.

Esclarecidos esses pontos, podemos focar em formas de ajudar a criança a desenvolver a autorresponsabilidade e a disciplina, auxiliando-a a construir formas mais construtivas de agir:

FALE POSITIVAMENTE.

Quando a criança se comporta de forma inadequada, tendemos a dizer a ela o quanto está errada, sem, contudo, demonstrar como esperamos que se comporte. Explicar o que não queremos que ela faça não deixa claro o que queremos, como exposto no capítulo 5. Explique à criança melhores formas de agir em vez de esperar que ela conclua sozinha.

"Pare de jogar areia no menino, é por isso que detesto te trazer para o parquinho!" pode ser substituído por "Jogar areia pode machucar o menino, você pode construir um castelo com essa areia, o que acha?"

OFEREÇA ESCOLHAS.

Enquanto as ameaças despertam a sensação de que a criança é passiva diante daquilo que lhe acontece, as escolhas demonstram que o que lhe acontecerá é consequência de como decide agir, como protagonista da própria vida. Apesar de aparentemente sutil, essa mudança de postura pode transformar a forma como enxerga a si mesma diante do que ocorre. Infelizmente, somos levados a crer que não temos escolhas em grande parte do que nos acontece e isso se deve ao lugar passivo em que a educação tradicional nos coloca. "Se você não parar de jogar a areia, nós vamos embora!" pode ser substituído por "Você tem duas opções: ou para de jogar areia no amiguinho e procura outra forma de brincar ou vamos para casa e voltamos em um dia que você esteja mais tranquilo. O que você escolhe?"

PERMITA QUE EXPERIMENTE AS CONSEQUÊNCIAS.

A lei de causa e efeito rege a vida e, quanto mais cedo os nossos filhos aprendem isso, melhor. Na maior parte das vezes, os pais informam as possíveis consequências das atitudes dos filhos, até ameaçam, mas não permitem que realmente vivenciem o efeito de suas atitudes. Nos próximos tópicos, vamos esclarecer a diferença entre as consequências lógicas e as naturais e como aplicá-las no cotidiano. "Eu já falei para você parar! Vamos embora agora! Não aguento mais!" pode ser substituído por "Parece que você escolheu ir embora. Vamos para casa e voltamos outro dia".

CONSEQUÊNCIAS NATURAIS

Consequências naturais são aquelas que não dependem de qualquer atitude do adulto para que aconteçam. São efeitos lógicos e previsíveis das atitudes tomadas. Sair em dias de baixa temperatura sem a roupa adequada tem como consequência sentir frio. Esquecer o lanche em cima da mesa tem como consequência sentir fome. Usar o calçado inadequado para brincar tem como consequência machucar os pés ou estragar os sapatos. Não há necessidade de que façamos nada para que essas consequências ocorram, elas são a sequência natural das atitudes citadas. Causa e efeito. Permita que as crianças vivenciem o resultado do que fazem, porque, no futuro, quando saírem da nossa casa, não haverá papai ou mamãe para resolver os problemas que criarem. Há, no entanto, algo que fazemos e que pode dificultar – e muito – o aprendizado único e especial do momento. "Eu te avisei!" Tripudiar sobre a criança que sofre com as consequências do que viveu muda o foco do problema para a relação, impedindo a autoavaliação e o desenvolvimento da autorresponsabilidade. Demonstrar empatia e compaixão auxilia o processo de crescimento, além de desenvolver a humanidade.

"Eu te avisei que você iria cair se subisse aí! Está vendo? Se machucou!" pode ser substituído por "Eu sinto muito que você tenha se machucado" e uma conversa sobre o aprendizado que a situação gerou, no momento oportuno.

CONSEQUÊNCIAS LÓGICAS

Diferente das consequências naturais, as consequências lógicas dependem da interferência do adulto para que sejam experimentadas. Não são uma sequência natural e previsível para a atitude da criança. Ocorre nesse ponto a confusão comum em sua aplicação. O castigo é travestido de consequência lógica e aplicado de maneira desproporcional e desmedida. Em seu livro *Disciplina positiva*, Jane Nelsen chama atenção para algo bastante importante: as consequências lógicas só devem ser aplicadas como último recurso educativo, não podem ser o centro da forma de instruir os nossos filhos. O foco deve ser a busca pela solução do problema, não a repreensão do que acontece de maneira diferente da que esperamos. Quando mudamos o nosso pensamento para buscar a melhora, a criatividade nos direciona para mais possibilidades. Lembre-se: o que ganha atenção ganha força. Caso decida aplicá-las, lembre-se de escolher consequências que respeitem a criança, sem humilhar ou punir. Elas também devem ser previamente acordadas e diretamente ligadas à atitude inadequada. Se a criança não guarda os brinquedos, os pais podem colocá-los em um lugar inacessível até que ela se comprometa a cuidar deles, desde que isso seja previamente acordado e de forma respeitosa, como exposto anteriormente.

> **O foco deve ser a busca pela solução do problema, não a repreensão do que acontece de maneira diferente da que esperamos.**

RESOLVENDO PROBLEMAS JUNTOS

As crianças se comprometem melhor com as regras que ajudaram a construir. Não somente elas; somos todos mais impulsionados a cumprir os acordos cuja criação dos termos estivemos verdadeiramente envolvidos. Problemas disciplinares que se repetem e estão difíceis de resolver são mais bem cuidados quando a busca por soluções é feita em conjunto. Crianças a partir dos 4 anos são perfeitamente capazes de participar dessa busca e de se comprometerem com as descobertas feitas.

TENHA EMPATIA.

Inicie a conversa falando do ponto de vista da criança, demonstrando que entende – ou quer entender – a forma como age ou pensa. Ao sentir-se compreendida, fica mais fácil que se abra para o processo, diminuindo assim a sua resistência. "Eu imagino que, depois de brincar muito, você fique cansado para guardar tudo. E que às vezes aparece algo mais interessante para fazer!"

HUMANIZE-SE.

Depois de demonstrar que entende a criança, fale sobre o seu ponto de vista. Por que aquela atitude o preocupa ou incomoda? Que sentimentos ou necessidades serão atendidos a partir da mudança? "O problema é que, quando os brinquedos ficam espalhados, a gente pode pisar e se machucar, além de quebrar tudo, e isso me preocupa. Eu gosto de ver a casa arrumada e me esforço para manter tudo assim."

FAÇA UMA CHUVA DE IDEIAS.

Convoque a criança a pensar em soluções que atendam às necessidades de ambos. Neste momento, todas as ideias são válidas e devem ser anotadas, sem restrições ou julgamentos. Deixe que a criança comece, para que se sinta mais à vontade durante o processo. "Vamos pensar em um jeito de resolver esse problema? Acho que podemos encontrar uma forma que seja legal para nós dois. Eu vou anotar as ideias e depois escolhemos as que vamos seguir, ok?"

ESCOLHA.

Depois de ter as ideias anotadas em um papel, hora de escolher as que atendem a todos os envolvidos. Não julgue ou critique a ideia da criança, apenas diga se concorda ou discorda, justificando de maneira breve. Lembre-se que acordos pedem que ambos os lados cedam, portanto, aceite que existem outros modos de chegar a um mesmo objetivo:

— Eu não gosto da ideia de deixar bagunçado e não arrumar. Vamos riscar essa.

— Mamãe, eu não quero arrumar logo depois de brincar, risca essa também.

— Acho que tudo bem você arrumar antes de ir para a escola, assim fica organizado a maior parte do dia. Tudo bem para você também?

— Sim!

— Ótimo! Então fechamos o nosso acordo!

ACOMPANHE.

Observe se a criança está cumprindo o acordo feito e, caso não esteja, convoque para uma nova conversa buscando entender o que está acontecendo e se algo precisa ser ajustado. Neste acompanhamento, podem, também, estabelecer uma consequência lógica para o descumprimento do acordo caso o comportamento permaneça.

Por mais que, aparentemente, este processo exija tempo, ele costuma ser a solução mais rápida. Quinze minutos de uma conversa, uma vez na semana, são menos cansativos e estressantes que meia hora de sermão diário. Resolver o problema juntos nos poupa tempo, além de fortalecer a relação e desenvolver o raciocínio voltado para a busca por soluções na criança. As vantagens são inúmeras.

O RESERVATÓRIO DE AMOR

VERA E MARCELO

Vera iniciou a nossa conversa falando baixo e pausadamente. Percebi que chorava. Estava cansada e desesperançosa. Marcelo, o filho mais velho, apresentava um comportamento cada dia mais desafiador. Gritava, brigava e reclamava na maioria das interações com a família, e ela já não sabia o que fazer. Admitiu que o comportamento dele a repelia e, quanto mais distante se colocava, pior ele se comportava. Era um ciclo que já não sabia quebrar. Não é difícil chegar a esse tipo de situação. Por vezes nos distanciamos das crianças sem perceber, reforçando nelas a crença de que não são amadas e aceitas, e elas nos respondem com comportamentos inadequados. Pensamos juntas em formas de demonstrar que ele era amado e aceito, que era querido na família. Ela aumentaria seu tempo com o filho, brincando, lendo ou desenhando. Também daria mais atenção aos bons comportamentos, conforme descrito no capítulo 3. Por último, decidimos que faria – ou compraria – um bolo e diria ao menino que estavam festejando a existência dele. Alguns dias depois recebi uma foto dos dois, Marcelo, sorridente com chapéu de aniversariante, abraçado pela mãe, em um lindo momento de comemoração. Vera contava que ele parecia outra criança. Celebrei.

Durante todo o capítulo falamos do quanto a criança precisa se sentir amada e aceita para se desenvolver bem, para que seus bons sentimentos transbordem para o seu comportamento. Amamos os nossos filhos, daríamos a nossa vida por eles se fosse necessário. Fazemos muito por eles. Pensamos em seu bem-estar, em sua saúde, em seu desenvolvimento, em seu futuro. Mas quanto tempo temos passado com eles? O que temos feito com eles? Quanto desse imenso amor estamos transmitindo? Quantas vezes estamos desacelerando para acompanhar o seu ritmo? Quantas gargalhadas damos juntos diariamente? Quantos abraços, quantas conversas, quantos carinhos?

ABANDONANDO AS PUNIÇÕES

Quantos minutos lhes dedicamos sem qualquer distração ao redor? Como temos respondido a uma das perguntas mais especiais que podem nos fazer: "Quer brincar?" É essa pergunta que nos convida a compartilhar os universos imaginários, a massa de modelar, a tinta, que nos convoca a viver um pouquinho no seu mundo. Qual foi a última vez que você brincou por quinze minutos, sem se deixar levar pelo celular ou pela TV? Não trinta minutos, não quarenta. Quinze. Quinze minutos sem pensar nas contas que venceram ontem e ainda não estão pagas, nos e-mails que não foram respondidos, nos pratos que precisam ser lavados. Quinze minutos de inteireza, de entrega, de atenção verdadeira. Você consegue se lembrar de qual foi a última vez que fez isso?

Temos, todos nós, um reservatório de amor. Um lugar onde recarregamos nossas energias e guardamos todo o carinho e o cuidado que recebemos e que nos mantém emocionalmente nutridos. Quando os níveis no reservatório estão baixos, quando nos sentimos sozinhos e desamparados, nossas atitudes exprimem o vazio interior. A espera no caixa do supermercado parece mais difícil, a fechada no trânsito provoca mais irritação, o choro da criança parece mais estridente. O reservatório de amor cheio aumenta o nosso pavio, amplia os nossos limites e expande a nossa capacidade de lidar com o imprevisto. Com as crianças também é assim. Elas se tornam mais capazes de lidar com as frustrações e mais resilientes quando se sentem seguras, amadas e aceitas. A conexão transforma a relação. Sentir-se conectada aos pais faz com que acolha mais facilmente as negativas que recebe. Conexão alonga o pavio, evitando explosões. Antes de focar nos maus comportamentos e dar força apenas ao que não quer ver crescer, reflita sobre como está o reservatório de amor da sua criança.

É importante lembrar que nem sempre os baixos níveis no reservatório de amor são responsabilidade da nossa falta de tempo. Por vezes, condições adversas alteram a segurança emocional da criança e nos resta estar atentos para interferir quando necessário. Quando o meu filho estava com cerca de 4 anos, seu comportamento mudou inesperadamente. Busquei formas de lidar com o

Temos, todos nós, um reservatório de amor. que estava acontecendo, mas diariamente a demanda aumentava. Aos poucos percebi que as perguntas que fazia estavam mudando: ele me perguntava sobre a morte, sobre doenças, sobre acidentes. Era nítido que estava mudando a forma de olhar o mundo e isso estava lhe transmitindo maior insegurança, a qual refletia em seu comportamento. Aumentamos as nossas conversas e o nosso tempo juntos. O fortalecimento desse cuidado não mudou o mundo ao nosso redor, não alterou os seus medos, mas fez com que se sentisse forte o suficiente para lidar com eles, e isso transformou os nossos dias.

CRIANÇAS ESTRESSADAS

EVA E GUSTAVO

Eva era aluna de um dos meus cursos on-line. No grupo em que as alunas e alunos se apoiam, ela escreveu sobre o comportamento do pequeno Gustavo, de 2 anos. Estava desesperada. O menino batia quando contrariado, tanto na escola quanto em casa. Contou que já havia tentado usar todas as ferramentas que conhecia e nada resolvia o problema. Pedi a ela que me contasse um pouco sobre a rotina, dos horários em que o filho ficava na escola, do esforço que faz de pegá-lo no meio da tarde para que pudessem conviver. No entanto, a convivência estava extremamente desgastante. O mau comportamento começava na porta da escola e ia até a hora de dormir. Perguntei sobre o tempo que ficava exposto a telas, se brincava na areia, se havia massa de modelar. Sugeri mudanças na rotina e inclusão de atividades que canalizassem a energia que não está sendo gasta. Na mesma noite, Eva, agradecendo pela conversa, me enviou uma foto do pequeno Gustavo brincando com a mangueira no quintal de casa. A tarde fora tranquila como há muito tempo não era.

ABANDONANDO AS PUNIÇÕES

Umas das primeiras perguntas que faço aos pais quando me contam dos problemas disciplinares é: sua criança tem brincado livremente? A brincadeira tem papel essencial no desenvolvimento saudável. É por meio dela que a criança decifra o mundo ao seu redor. É nela que treina a sua capacidade de lidar com o estresse, a ansiedade, a angústia e vários outros sentimentos. A brincadeira é um treino para a vida. Extravasa a energia, descarrega as tensões. Os benefícios dos exercícios físicos e do movimento são comprovados cientificamente. Enquanto vemos os adultos correndo para as academias e para diversos outros exercícios físicos, as crianças estão cada dia mais expostas a telas. Tablets, celulares, televisões, smartphones. As horas em frente às mais diversas telas superam o tempo de brincadeira livre e nós pagamos a conta. Crianças estressadas, adoecendo física e emocionalmente. Crianças nervosas, que explodem ao menor sinal de desagrado. Não busco aqui julgar nenhum pai ou mãe. A televisão é uma babá eficiente, deixa a criança quieta por um bom tempo, e, na rotina excessivamente atarefada em que vivemos, a quietude é um presente. Inúmeras obrigações diárias, uma lista de tarefas a fazer que é maior que a capacidade de executá-la. A televisão vira uma tábua de salvação neste mar revolto. Por isso digo que não julgo. Porque a rotina, por vezes, também me engole. A grande questão é: vale a pena? Que consequências tem trazido essa quietude? Que preço a ausência de movimento tem cobrado?

Crianças precisam brincar, assim como precisam de água, comida e sono. Precisam. Correr, gritar, sujar-se de areia, de tinta. Sentir a massa de modelar nas mãos. Desenhar, colar, pintar. Ter contato com a natureza, sentir a grama nos pés. Viver presos em apartamentos não reduziu as suas necessidades. Brincar nutre a alma. Crianças bem nutridas são mais felizes, e esta felicidade se reflete na convivência.

> **Crianças precisam brincar, assim como precisam de água, comida e sono.**

RESUMO DO CAPÍTULO

- Punições não educam a longo prazo, induzem à mentira e ferem a relação da criança com os pais e consigo mesma;

- Muito do que julgamos ser um mau comportamento faz parte do desenvolvimento do ser humano, e entender suas fases nos torna mais hábeis a lidar com elas;

- Crianças precisam do sentimento de aceitação e de amor, e o mau comportamento reflete formas equivocadas de consegui-los;

- Atenção indevida, disputa de poder, vingança e inadequação assumida são quatro raízes de mau comportamento, segundo Rudolf Dreikurs;

- Observar as necessidades e os sentimentos que estão por trás do comportamento nos faz desenvolver formas construtivas de agir;

- Falar positivamente, oferecer escolhas e deixar que a criança experimente as consequências das suas atitudes são alternativas às punições;

- Consequências naturais são aquelas que não dependem de qualquer atitude do adulto para que aconteçam. São efeitos lógicos e previsíveis das atitudes tomadas;

- Consequências lógicas dependem da interferência do adulto para que sejam experimentadas e devem ser utilizadas com foco na resolução de problemas;

- As crianças se comprometem mais com as regras que ajudaram a construir. Crianças a partir dos 4 anos são perfeitamente capazes de participar dessa busca e de se comprometerem com as descobertas feitas;

- O reservatório de amor influencia diretamente no comportamento das crianças. A conexão é essencial para boas relações;

- Menos exposição a telas e mais brincadeiras reduzem o estresse e refletem na saúde física e emocional da criança

UM NOVO OLHAR SOBRE NÓS

7

Certa vez, ao concluir um workshop, percebi que ninguém se levantou com pressa. Apesar de a sala estar bem cheia, e depois das várias horas sentados ali, juntos, ainda estávamos digerindo tudo o que foi dito e dividido. As histórias contadas, as lágrimas que alguns derramaram, os risos que muitos deram. Existia uma energia quase palpável. Uma das mães disse que educar é um exercício de autoconhecimento. O grupo concordou. "Tudo começa de dentro", falou um pai. "Tenho que reaprender a lidar comigo", outra mãe completou. "Eu vim para falar do meu filho, e estou saindo com muitas reflexões a meu respeito", ouvi de alguém sentado no fundo da sala. Mais uma vez o grupo concordou. É incoerente buscar a não violência na relação com os filhos e ser carrasco de si mesmo. Pedi a todos que respeitassem o próprio tempo, a própria história e o próprio processo. Não existe um ponto de chegada, tudo é caminhada. "Acolhimento, empatia e compaixão precisam fazer parte da nossa relação com nós mesmos. Quando estamos cheios deles, fica mais fácil transbordar para os nossos filhos." A sala começou a ficar vazia, e eu, como em todos os eventos, torci intimamente para que não esquecessem aquelas últimas palavras e que fossem pacientes e amorosos pais e mães de si mesmos.

Este é o capítulo mais importante do livro. Nenhum dos ensinamentos anteriores fará sentido se você não prestar atenção a cada linha a partir daqui. Se não se empenhar verdadeiramente em mudar a sua comunicação consigo mesmo. Perfeição não existe. As falhas continuarão ocorrendo na sua casa, de vez em quando a voz sairá mais alta que o necessário. A vontade de bater, de humilhar ou de se colocar como vítima do mundo também continuará existindo. E o surgimento delas não é uma prova de que você nasceu com defeito. Até aqui falamos de formas não violentas de educar os nossos filhos, e conhecê-las pode ter feito você perceber que recebeu uma educação que não fortaleceu a sua autoestima, a sua autoimagem e o seu amor-próprio. Que os seus pais não tinham ferramentas para lidar com as suas emoções de maneira saudável e positiva. E que, muito provavelmente, existem feridas profundas na criança que você foi. Ok, está tudo bem. Respeite a sua história, o seu processo, o seu tempo. Nenhuma das informações adquiridas nessa leitura alterou o seu chip ou reprogramou a sua mente. Você continua sendo você. Os seus padrões continuam por aí, os seus supostos defeitos permanecem existindo. Nenhuma mudança é instantânea, não se queremos que ela seja duradoura. Está na hora de baixar a guarda e as armas em sua relação consigo mesmo. Este é um capítulo que convida você a hastear a bandeira branca e fazer as pazes com a sua complexidade. Você merece.

A SUA PRIORIDADE É VOCÊ

Enquanto estou escrevendo este livro, vivencio um processo de estresse muito grande. Não pela escrita, mas pela fase que estou atravessando em minha vida. Dois filhos, cuidados com a casa, trabalho, crise no casamento e a minha mãe tratando um câncer de mama. Meu corpo passou a dar os sinais de que está sobrecarregado. Primeiro me enviou o sinal do ganho de peso. Vinte e seis quilos a mais em dois anos. Vinte e seis! Mas eu continuei, fingindo não perceber. Ele então me enviou movimentos faciais involuntários. Continuei ignorando. Novo sinal, um zumbido pulsátil, o que significa que estou ouvindo o meu coração pulsar em meu ouvido. Agora, neste exato momento, as letras saem enquanto escuto o "tum-tum-tum". Esse foi um sinal que não pude ignorar. E, em meio ao furacão de obrigações diárias, encaixei consultas médicas e mais visitas ao consultório da minha terapeuta. Em algum momento da jornada da maternidade, esqueci que cuidar de mim era essencial para cuidar do outro. Quanto mais pesada a rotina menos lembramos que existimos. Não há tempo para ligar para uma amiga, para um banho de piscina, para saborear a comida com tranquilidade. Pagar a aula de dança, de boxe ou de ioga é luxo, é supérfluo. Não há tempo de parar para pensar, porque os braços precisam se movimentar freneticamente equilibrando os pratos imaginários que giram ao nosso redor, em um malabarismo estafante. "E se você morrer hoje, Elisama?", perguntou a terapeuta, me dando uma necessária sacudida. Parei então para refletir que, se não me cuido, não aguento. Cuidar de mim é cuidar de todos que precisam do meu cuidado. É manter os braços fortes e saudáveis para o malabarismo. É também aceitar que alguns dos pratos que insisto em manter girando no ar precisam se espatifar no chão, pelo bem da minha saúde mental. A minha prioridade deve ser eu. A sua prioridade deve ser você.

Os pais me falam que a prioridade deles são as crianças. Sempre. Então, enquanto a criança está com o cartão de vacinação em dia e as consultas ao pediatra regularizadas, eles estão com uma sensibilidade no dente desde que os filhos nasceram e não encontram tempo para ir ao dentista. A lista de obrigações os assola e os cuidados consigo mesmo vão sendo empurrados para depois. O nosso compromisso conosco pode ser desmarcado, adiado, riscado da lista por tempo indeterminado. Qualquer coisa parece ser mais importante que você. Essa educação que faz focar no outro nos distanciou do autocuidado. Amar-se é algo presunçoso. Associamos humildade a nos diminuirmos. Pensar em si é egoísmo, e Deus nos livre de sermos egoístas. Por isso cuidamos de todos, nos doamos — sobretudo nós, as mulheres — esperando que o outro, como prova de amor e reconhecimento, cuide de nós. Filhos precisam do nosso cuidado, do nosso carinho e da nossa atenção, mas não devem ser a nossa prioridade, não a única. São nossa prioridade também. Dizer sim para o outro enquanto amargamos inúmeros nãos para nós mesmos tem o seu preço. Às vezes descontamos na relação com as crianças, às vezes descontamos nos relacionamentos amorosos. Às vezes quem paga o preço é o corpo, como no meu caso. Não digo aqui que você fará apenas o que quer, sem ponderar consequências ou sem pensar no bem-estar do seu filho. Digo que é importante pensar no seu bem-estar também. Que as escolhas devem ser pensadas ponderando os interesses e possibilidades de ambos. Digo, principalmente, que você existe e que, se não cuidar desse ser fantástico que é, ninguém o fará. Quer ter uma relação de mais amorosidade e leveza com a sua criança? Mantenha-se nutrido em suas necessidades de carinho, atenção, compreensão, pertencimento. É impossível cuidar da criança sem cuidar do adulto que cuida dela, por isso deixo algumas sugestões para que você possa viver melhor consigo e, logo, com seu filho:

CUIDE DO SEU CORPO.

> **É impossível cuidar da criança sem cuidar do adulto que cuida dela.**

Quanto tempo você tem dedicado a cuidar do seu corpo? Não me refiro a atender os padrões de beleza vigentes. Quantas horas tem dormido por dia? Já percebeu que, quanto menos dorme, menos paciência tem com os problemas diários? Qual foi a última vez que tomou um banho de verdade? Que massageou os próprios pés? Seu corpo não é apenas um meio de transporte. Ele não existe apenas para levar a sua cabeça para todos os lugares. Ele é a sua casa. É onde você vai morar até o seu último dia de vida. Preste atenção aos sinais que dá, escute-o com atenção. Dê as pausas que ele merece; pare, sente-se e respire sempre que ele pedir. Uma pausa de cinco minutos não fará o seu dia desmoronar, mas fará um bem imenso a você.

CUIDE DO QUE OUVE E LÊ.

Em poucas horas nas redes sociais, somos bombardeados com todo tipo de postagem. De um lado, as tragédias, notícias devastadoras e informações sobre o quanto o mundo está violento. Do outro, amigos que parecem viver em uma terra de felicidade absoluta, fazendo com que acreditemos que os problemas que vivemos são fruto de uma total incapacidade de lidar com a nossa própria vida. Esses recortes da realidade nos despertam frustração, angústia, decepção, medo. Ferem a nossa confiança em nós e em um futuro melhor. Por que permanecer alimentando algo que influencia diretamente o seu bem-estar? Falamos bastante sobre a importância do sentir em nossa vida, e a relação entre sentimento e comportamento não se aplica apenas às crianças, mas a nós também. Aprenda a filtrar o que merece ou não a sua atenção. Lembre-se de que o que ganha atenção ganha força.

CUIDE DO QUE FALA.

Quantas vezes você tem se calado por medo de ofender, de não ser aceito ou simplesmente porque acredita que não deve falar? Às vezes, abrimos mão de coisas importantes porque estamos mais preocupados com o outro do que conosco. Comece a dizer "sim" para você, o que, às vezes, acarreta "não" para o outro. E, como já vimos, a cada vez que você diz um não a você para agradar ao outro, alguém paga por esse não. Digamos que seu cônjuge convida você para jantar com um casal de amigos. Você não gosta do casal, mas, para não brigar, acaba aceitando. E passa o caminho todo de cara feia, resmungando, e uma curva errada vira motivo para uma briga. Você sente que ele está lhe devendo algo porque você abriu mão de algo importante para você, por ele. Seria melhor falar com sinceridade: "Amor, sinto muito, mas hoje não dou conta de conversar com os seus amigos. O dia foi bem cansativo e eu quero ficar em casa. Pode ir sozinho, ou podemos marcar um dia em que eu esteja mais disposta." Entenda que, na forma tradicional de educação, somos treinados a acreditar que agradar ao outro deve ser a nossa prioridade. Vivemos com a pergunta "O que será que vão pensar?" pairando em nossa mente e guiando os nossos dias. É você quem deve defender os seus interesses e posicionamentos, é você quem tem que pensar em seu bem-estar. Essa é uma tarefa sua, não do outro. E, caso decida atender ao outro, faça isso conscientemente, assumindo a responsabilidade pela sua escolha.

CUIDE DAS SUAS ESCOLHAS.

Há um tempo, ser uma boa mãe ou um bom pai era apenas manter os filhos vivos. Hoje acrescentamos um milhão de quesitos para nos julgarmos bons pais. A escola de pedagogia alternativa, a alimentação sempre fresca, recém-preparada e de preferência orgânica. Não terceirizar a infância e, ao mesmo tempo, não parar a vida ou a carreira depois dos filhos. Exercitar-se diariamente, manter os dentes brancos e saudáveis e o sorriso estampado no rosto. Saber sempre a dose certa de "sins" e "nãos" da educação. Não dá. É simplesmente impossível atender a todas essas expectativas e permanecer emocional e fisicamente saudável. Eleja as suas batalhas. Escolha o que deve ou não ficar em sua rotina. Olhe para as suas escolhas e perceba quais ainda fazem sentido e quais são reproduzidas automaticamente e você já nem sabe o porquê. Quais estão libertando a sua rotina? Quais estão aprisionando a sua vida? Tudo bem voltar atrás, mudar algumas decisões, refazer as escolhas, desde que estejamos cientes das consequências.

CUIDE DA SUA DIVERSÃO.

Quando alguém me procura para consultoria relatando impaciência para lidar com os problemas disciplinares, pergunto o que a pessoa tem feito para se divertir. Em regra, a resposta é "Nada". Esquecemos que a diversão, as gargalhadas e os momentos de lazer aumentam a nossa paciência. Isso nos torna mais capazes de respirar fundo, em vez de explodir diante da primeira contrariedade. Há aqui dois pontos importantes. O primeiro é que a diversão muda após a chegada dos filhos, e é preciso desapego para lidar com essa mudança de forma leve. É preciso descobrir novas formas de diversão, novos lazeres que se encaixam na nova fase da vida. Alguns pais se apegam ao que era divertido antes do nascimento das crianças e acreditam que não há forma de curtir com os filhos, e se tornam pais sisudos e reclamões. Redefinir a diversão faz parte do amadurecimento. O segundo ponto é que ter filhos é um passe livre para voltar a brincar, para se conectar novamente com a criança que você foi. É um passe livre para banho de mangueira, para pulos malucos na piscina, para brincar na lama, para brincar de corrida com o carrinho do supermercado. As crianças são uma excelente oportunidade de reconexão com os nossos prazeres mais genuínos, com a nossa essência que sabe o valor do hoje, cujo sinônimo é "presente" não por acaso. Diversão é necessidade básica.

DESATIVANDO OS AUTOMATISMOS

LETÍCIA

Iniciamos a consulta e, em poucos minutos, Letícia já havia repetido três vezes que não era uma boa mãe. Ela trabalhava o dia quase todo e, nos demais momentos, ficava em casa cuidando das crianças. Mostrava-se preocupada com o bem-estar da família e muito cuidadosa com as suas responsabilidades. Nossa intenção era buscar formas empáticas de lidar com problemas disciplinares da filha mais velha; no entanto, eu sentia que a convicção de que era uma mãe ruim influenciava diretamente nas suas reações aos comportamentos da menina. Perguntei o que significava ser uma boa mãe, e ela gaguejou. Pedi que pegasse um papel e uma caneta e listasse as características que ela achava que deveria ter. A lista de obrigações era imensa. Uma boa mãe tem que ser paciente e tranquila. Tem que gostar de brincar todos os dias. *Tem que* um monte de coisas. Assim que concluiu a lista, pedi que lesse para mim. A mulher chorou enquanto as palavras saíam. "Você acha que essa boa mãe é humanamente possível?", perguntei. Ela apenas balançou a cabeça em negativa. Percebeu então que, se não mudasse o conceito do que era ser mãe, a frustração a acompanharia até o fim dos dias. Combinamos que ela começaria a refletir sobre as cobranças que fazia a si mesma, sobre a forma como lidava com o mundo por conta dessas cobranças. Que buscaria estar presente e atenta. A mudança na postura diante de si refletiu diretamente em todas as suas relações.

Quantas coisas você faz diariamente no piloto automático? Acorda pensando nas pendências diárias, alimenta-se pensando no que tem a fazer, chega aos lugares sem saber ao certo que caminho pegou. Come sem sentir o sabor da comida, caminha pela rua sem perceber os cheiros e sons que a vida tem. Conversa, escuta e responde com a mesma reatividade, sem qualquer protagonismo na própria vida. Será que tem mesmo que ser assim? Na prática da atenção plena buscamos estar presentes. Certa vez a Monja Coen, famosa representante do zen-budismo no Brasil, comentou sobre quais são os melhores pensamentos para iniciarmos o dia. Segundo ela, devemos iniciar o dia estando presente nele. Sentindo o pé tocar o chão. Sentindo os músculos do braço se alongarem. Sentindo a água encher a mão e chegar ao rosto, percebendo a sua temperatura e o que esse toque desperta em nós. A mente é um cavalo selvagem. Ela pode estar em diversos lugares ao mesmo tempo. Pode estar no passado ou no futuro. O corpo só pode estar no aqui e agora. Sentir o corpo é ancorar no presente. É a melhor forma de tirar a atenção da mente tagarela.

Somos contadores de histórias. E tudo, absolutamente tudo que você utiliza para definir quem é faz parte de inúmeros roteiros criados em sua mente. Muitas dessas histórias vieram dos seus pais, dos seus amigos, das pessoas que foram importantes em sua vida. E você continua contando e recontando todas elas, agindo de acordo com o script, como se fosse apenas mais uma personagem dessa narrativa. Quando Letícia olhou para a história que buscava entender, pôde perceber o quanto era violento consigo mesma tentar se encaixar naquele padrão, mas esse momento só foi possível porque ela saiu do automático. Porque se tornou consciente. Por alguns instantes, questionou as histórias que a contadora de histórias em sua mente repetia sem parar. E esse questionamento lhe permitiu agir diferente.

Quantas escolhas você tem feito de maneira consciente? Quantas vezes tem pensado antes de agir? Quantas vezes tem se permitido atuar de maneira diversa da personagem que desenvolveu durante a infância? Todos desenvolvemos capas para nos proteger das dores na infância. A "durona", a "chorona", o "reclamão", o "brigão", a "dengosa", a "gulosa". Entramos nessas personagens tão cedo que já não lembramos quem somos sem elas. E seguimos falando as suas falas e agindo de acordo com as suas atitudes. "Eu sou assim!", dizemos, sem perceber que ninguém é uma coisa só, que agir sempre do mesmo jeito é desconsiderar as peculiaridades de cada situação. Para desativar o piloto automático, a receita é eficaz, mas excessivamente desafiadora: questione a sua mente. Respirar fundo e perceber que as histórias que contamos são apenas histórias nos faz mais fortes e capazes de decidir como agir, em vez de apenas reagir.

Veja algumas sugestões para você se desconectar do personagem infantil:

OBSERVE SEM JULGAR.

Separar a realidade das histórias que contamos sobre ela é o primeiro passo para tomar decisões conscientes e alinhadas com as nossas intenções.

SINTA.

Perceba quais sentimentos essa realidade lhe desperta e para quais necessidades eles apontam. Descrever o que acontece, livre de julgamentos, interfere diretamente em como nos sentimos diante da realidade.

DECIDA COMO AGIR.

Somos ativos na vida quando pensamos sobre as ações, em vez de apenas reagir ao que nos acontece sem qualquer reflexão anterior. Se não decidirmos conscientemente estar presentes em nossas ações, agiremos de modo automático sem perceber.

O piloto automático é importante para a nossa sobrevivência, e isso é um fato difícil de questionar. Se aparecer um leão em sua frente neste exato momento, todos os seus instintos de sobrevivência serão acordados, virando a chave do seu raciocínio para o modo instintivo, disparando o alerta: "Fuja ou lute!". Convenhamos que, em um momento como esse, seria fatal parar para descrever com clareza a realidade, analisar os próprios sentimentos, sentir os músculos se contraindo de medo e só então decidir como agir. Viraríamos lanchinho de leão. O grande problema é que nos acostumamos a agir de modo automático. E vivemos sem ver, estamos sem estar. Qual foi a última vez que você brincou com a sua criança percebendo o barulhinho da risada dela? Qual foi a última vez que sentiu o calor que a sua mão transmite ao tocar o braço de seu filho? Estar presente nos mínimos detalhes é um esforço diário, mas tem uma recompensa indescritível. Melhora a nossa relação conosco, com o outro e com o mundo.

ACEITANDO A SUA HUMANIDADE

SÍLVIA

Em um encontro, estávamos falando sobre como lidar com a criança quando estamos com raiva. Lá no fundo, vi uma mão balançar pedindo a fala. Sílvia contou que não aceitava a própria agressividade. Que não admitia sentir o que sente. Disse que se inscreveu no workshop porque queria aprender a não se sentir daquele jeito. Ela foi uma menina rotulada como brava durante toda a infância. Cresceu com a fama de briguenta e sempre considerou a tendência à explosão o seu maior defeito. Era o traço da sua personalidade mais rejeitado pelos seus pais, o que mais lhe causou dor na vida. Sorri compassivamente. "Só aprendemos a lidar com o que aceitamos que existe. Está tudo bem ser você." Ela balançou a cabeça, com os olhos cheios de lágrimas. Falou da raiva com as crianças, da raiva que sente desde criança. Disse que não podia se aceitar. Não podia. Dividi, então, um pouco da minha história, que tem muitos pontos semelhantes aos dela. A raivosa, brava, briguenta. Sílvia. Eu. Dividir uma vulnerabilidade em momentos como esse tem um efeito lindo de se vivenciar. Compartilhamos da mesma humanidade. Nós duas, algumas outras pessoas da sala. Já não éramos espécies com defeito de fabricação. Sílvia agradeceu e me prometeu buscar formas de lidar com quem era em vez de travar verdadeiras batalhas com o próprio sentir. Relembrei intimamente o meu caminho de aceitação e quanta coisa mudou desde o dia em que decidi parar de brigar comigo mesma, por isso torci para que ela persista. Como se tivesse lido os meus pensamentos, entre lágrimas, Sílvia sorriu.

Todos os sentimentos que visitam você diariamente fazem parte da experiência humana. Não são opcionais, são itens de série. Não dá para desinstalar ou pedir uma nova configuração. Por muitos anos, ouvimos que nossos sentimentos ou características eram indevidos e inadequados, por isso interiorizamos que deveríamos ser pessoas diferentes do que somos, para merecermos amor e respeito. "Assim o papai não ama!", "Mamãe não ama você quando fala assim!", "Você não pode ser assim!" e as variações dessas frases fizeram parte da infância da maioria de nós. Somamos a isso os estereótipos criados pelo senso comum do que seriam as pessoas de sucesso, as boas mães, os bons pais. O resultado somos nós, adultos que, em regra, amargam diariamente a certeza de que não são bons o suficiente e precisam brigar com essas características que os tornam inadequados, para que tenham força para mudá-las. Se

Todos os sentimentos que visitam você diariamente fazem parte da experiência humana. bater, brigar e humilhar parece ser o que educa, nos acostumamos a estabelecer essa linguagem bélica e violenta internamente. Aceitar o que repelimos em nós é algo que não pode ser uma opção, senão nos acomodaremos em versões desprezíveis de nós mesmos. Será?

Quando as pessoas têm o primeiro contato comigo, estranham. Sou uma mulher de fala firme e tom alto. Também sou craque na cara de brava e mesmo o meu melhor sorriso não é calmo e tranquilo. Alguns colegas na escola me chamavam de El Niño, em referência a um furacão que causava alterações climáticas em muitos lugares do mundo. Por muitos anos fui a advogada mais brava do escritório, e meu marido brincava que os funcionários do supermercado que frequentávamos avisavam uns aos outros quando eu estacionava o meu carro, para que conferissem todos os rótulos e preços antes de eu entrar. Resumindo, a minha imagem é a última que você criaria em sua mente ao pensar em alguém que trabalha com não violência. No entanto, aprendi que nenhuma das minhas características me define ou deve ser determinante em meu comportamento. Que sou muito mais que uma pessoa que tem tendências a explosões de raiva. E, mesmo sem o tom de voz doce que por muito tempo eu queria ter, levo acolhimento e empatia para as famílias. Eu, a menina brava.

Eis o grande paradoxo da vida: só conseguimos transformar aquilo que aceitamos. Você só conseguirá aprender a lidar com as características mais desafiadoras quando aceitar que existem. Brigar consigo mesmo é uma batalha sem vencedores, inútil e dolorida. Acolher-se e perceber qual a sua forma de estar nesse mundo é o que pode tornar os seus dias mais leves e fluidos. Autenticidade. Ficar atento ao que por tantos anos o definiu e perceber que é possível ressignificar as suas experiências. Redesenhar os conceitos de sucesso, de felicidade, de maternidade e de paternidade, porque os conceitos predefinidos não conseguem abarcar toda a diversidade de pessoas e suas peculiaridades.

A parentalidade não nos deu superpoderes ou nos fez sobre-humanos. Não aprendemos todas as coisas, não temos todas as respostas. E, principalmente, não há uma linha de chegada que, ao ser cruzada, nos deixará mais felizes e seguros. A linha reta e constante é a morte. A vida oscila, e ser humano é viver nessa dança. Tristezas, frustrações, angústias, medos, dúvidas. Todos os sentimentos fazem parte da vida. Não brigue com eles, não acredite que pode viver sem o que nos faz humanos. Não brigue consigo. Seja qual for a característica que você tem vontade de arrancar de si, ela não o define. Ninguém é uma coisa só. E você pode criar ferramentas para lidar com ela, sem se desrespeitar no caminho. Tudo o que este livro apresentou para lidar com os sentimentos dos filhos, motivando-os, pode ser aplicado em nossa relação interna.

ACEITANDO A SUA REALIDADE

ELISA

Elisa e eu conversávamos sobre os problemas disciplinares do pequeno Heitor, quando perguntei como estava o tempo de diversão e brincadeira do menino. Ele tem corrido? Pinta? Brinca com areia? Massa de modelar? Ela me disse que o menino não tinha espaço para brincar, pois moravam em um apartamento pequeno e não havia área de lazer no condomínio. Ela fez uma lista do que

156 EDUCAÇÃO NÃO VIOLENTA

gostaria de fazer e não podia. Os argumentos para não transformar os desejos em realidade eram muitos: a falta de tempo, o trabalho, a falta de espaço. "Sei que as teorias são lindas, mas não estão vivas. Cada família tem as suas possibilidades e sua história, e a gente faz o que cabe nelas. O que você pode fazer hoje, sendo Elisa, mãe de Heitor, essa mulher que trabalha o dia quase todo, que mora em um apartamento pequeno e que está com pouca grana? O que você e seu companheiro podem fazer para satisfazer à necessidade de brincadeira do filho?". Pela primeira vez, ela foi convocada a sair da briga com as próprias possibilidades e aprender a lidar com elas. Concluímos o nosso encontro e, um tempo depois, recebi uma foto do pequeno brincando com caixas e tinta, em um espaço bem pequeno na microvaranda do apartamento, com um sorrisão no rosto.

As crianças acordam cedo e, na minha cabeça, a ladainha interna começa: "Eles têm que voltar a dormir. Não é possível acordar tão cedo! Vão passar o dia chatos e eu vou ter que lidar com o mau humor deles e com o meu. Isso não é justo!". Helena chora pela 32.941ª vez no dia e lá vai a minha mente: "De novo, não aguento mais o choro dessa menina! Como eu pude parir alguém tão sensível? Em algum momento eu vou estragar essa criança para sempre!". O marido se esquece de fazer algo que pedi e lá vem a contadora de histórias: "Ele não me respeita. Ele tinha que lembrar, eu nunca peço nada e, quando peço, não faz! Isso é falta de consideração. Ele não podia ser assim." Não sei se você se identifica com alguns dos meus diálogos internos, mas todos eles têm em comum algo que fazemos diariamente sem perceber: brigar com a realidade. Gastamos um tempo precioso e muita energia reclamando e dizendo que a realidade deveria ser diferente do que é, como se as nossas reclamações fossem capazes de mudar o que está acontecendo. A realidade está posta, é o que é. Posso acrescentar mais diversão ao dia que tem grandes probabilidades de ser difícil por conta do horário em que as crianças acordaram, posso acolher o choro de Helena e apresentar formas de lidar com o que lhe causa dor, posso pedir ao marido que saia novamente para buscar o que pedi ou posso eu mesma fazê-lo. Alimentar a minha tagarelice mental não resolverá nenhum dos meus problemas. Deixar-me levar pelas histórias que conto a respeito do que me acontece apenas aumentará a minha angústia e a sensação de que sou o único ser humano do mundo a ter problemas.

A aceitação da realidade engloba, inclusive, aceitar o que essa realidade desperta em nós. Ouvimos tantas vezes que não tínhamos motivos para chorar que acreditamos realmente que a nossa tristeza é indevida. Ficamos tristes por nos sentirmos tristes. Queremos controlar o incontrolável, e essa briga, para variar, não resolve nada. Aceitar o que as situações despertam em nós nos torna mais potentes para lidarmos emocionalmente com elas de forma mais inteligente e assertiva. Eu tenho uma tendência a ser mais grosseira com as crianças quando estou com os meus pais. A necessidade de ser aceita e amada por eles, de demonstrar que sei ser uma boa mãe e que as minhas teorias funcionam fala alto quando estamos próximos e, se não me vigiar, pareço uma criança dando piruetas e falando: "Olha, mãe, olha, pai, o que eu consigo fazer!". Em outros tempos, essa constatação me faria entrar em um ciclo de autodepreciação que incluiria as palavras "ridícula", "criançona" e "carente". Atualmente, evitando brigar com quem sou, reconheço a minha necessidade de reconhecimento e amor, e me coloco atenta a essa tendência. Saio de casa pensando: "Hoje estou com uma tendência maior a ser impaciente com as crianças, preciso me observar." Triplico a vigilância sobre os meus atos e evito agir impulsivamente. Ao aceitar e assumir a minha limitação, evito que os pensamentos de "Como eles estão insuportáveis hoje!" diminuam o meu discernimento. Somos humanos, cíclicos como toda a natureza, e esses ciclos incluem dias ruins, dias de mau humor, dias de mais energia e dias de cansaço. Dias ensolarados e dias chuvosos. Assumir as nossas incapacidades e criar estratégias para lidar com elas deve ser o nosso normal. Não podemos controlar o ritmo das ondas ou a força do mar, mas podemos decidir de que forma vamos navegar.

> **A aceitação da realidade engloba, inclusive, aceitar o que essa realidade desperta em nós.**

AUTOCOMPAIXÃO E AUTOEMPATIA

HELENA, O CHORO E EU

Helena, a minha filha caçula, arrumava-se para sair, enquanto eu, sentada no sofá, esperava. Não estava em um dia tranquilo e eu tenho consciência de que esperar não é um ponto forte em mim. Ela demorava e eu comecei a me irritar. Chamei uma, duas vezes, enquanto ela me pedia para esperar. Gritei, chamando de um jeito grosseiro. Instantaneamente ela chorou. Um choro sentido, doído. "Você não foi gentil comigo!", me falou com o rosto lavado em lágrimas. Tenho cuidado para não encaixar a minha pequena na personagem da filha boazinha, porque seria muito fácil fazê-lo. Ela é uma criança maleável e amorosa, de acordo com os meus julgamentos, claro. Vê-la chorando daquele jeito disparou em mim uma série de pensamentos violentos. "Eu sou muito grossa, não precisava falar assim. Magoei a menina sem necessidade alguma. Por que tenho que ser como um bicho selvagem? O que passou em minha cabeça quando decidi ter filhos? É lógico que não nasci para isso! Depois vou dar palestras falando sobre empatia. Fraude!". Respirei fundo e tomei consciência do que estava fazendo. Era a minha voz julgadora e implacável apontando as minhas imperfeições sem qualquer piedade. Abracei a minha filha, que logo voltou para o quarto para concluir o que estava fazendo, depois de combinarmos que o faria em cinco minutos. Sentei e ofereci conforto a mim mesma. "Você está em um dia difícil, muitas coisas estão saindo diferente do planejado. É realmente angustiante viver o que está vivendo. Ter paciência nessas horas exige muito. Vai ficar tudo bem, da próxima vez você consegue, tenho certeza." Passei as mãos carinhosamente em volta dos meus braços. O coração aliviou um pouco. Com a compaixão que pude me ofertar, me senti mais capaz de fazer melhor.

Este é o último tópico do livro. Coloquei este tema cuidadosamente no final, porque desejo que ele fique gravado em sua me-

UM NOVO OLHAR SOBRE NÓS

mória, que encontre espaço no seu coração e cresça muito. Como anda o seu diálogo interno? De que forma você trata a si mesmo quando é menos que perfeito? Quais histórias conta quando a sua humanidade o relembra de que você não é um robô infalível? Trata a si mesmo com bondade amorosa ou inicia sessões de humilhação e autoflagelo?

A maioria de nós está acostumada a se xingar. A guardar para si as piores palavras, as maiores grosserias. Consideramos normal dar voz ao "eu" julgador que mora em nossa cabeça e deixamos que, do alto do seu trono de gelo, ele nos aponte os dedos frios e nos envergonhe com brutalidade. "Está vendo? Bem feito! Eu não faço nada certo! Não presto atenção, não me esforço. Dá nisso!". Existe também a versão autopiedosa: "Eu sou muito azarado, nada dá certo para mim. Por que me iludi, achando que finalmente as coisas seriam tranquilas e fáceis? É lógico que não!". Não podemos esquecer a versão que prevê o futuro. "Onde eu estava com a cabeça quando achei que daria conta de mais uma função na empresa? Eu mal dou conta do que está em minha mesa! A minha vida está um caos! As crianças passam tanto tempo sem mim, agora então! Eu sou muito irresponsável e egoísta!". Independentemente da variação do discurso, todos guardamos em nós esse ser implacável. Alguns andam atentos à sua chegada; outros tantos – arrisco dizer que a maioria de nós – se identificam com esse discurso e acreditam nas histórias nefastas que ele conta.

Por um tempo acreditei que deveríamos brigar com essa voz. Revidar, chamar de louca, dizer que não nos conhece e não faz ideia do que está falando. Até que entendi que essa voz traduz sentimentos e necessidades meus e que escutá-la sem me identificar com o que ela diz pode me ensinar muito. Na situação com a minha filha Helena, a voz exprimia, de maneira deslocada e grosseira, o meu sentimento de preocupação com o desenvolvimento emocional da pequena, o meu desejo de cuidar dela e de nutrir as características que ela possui e que eu admiro bastante, e também o meu desejo de alinhar o meu discurso com as minhas ações. Às vezes, a voz é apenas o nosso medo de mudanças e transformaçöes gritando desesperadamente para que fiquemos parados no mesmo lugar, porque é melhor um problema conhecido do que um problema desconhecido. De toda forma, ela não existe para nos destruir. Só precisamos traduzir o que ela está tentando nos falar, sem nos perdermos em suas histórias.

Marshall Rosenberg dizia que, se colocarmos orelhas de girafas – elas são o símbolo da comunicação não violenta, porque são o animal com maior coração, além de o pescoço grande ajudar a ver com melhor perspectiva e ajuda na capacidade de observação –, nunca mais ouviremos uma crítica, uma ofensa. Porque essas orelhas cheias de empatia são capazes de enxergar por trás do que nos falam, identificando os sentimentos e necessidades do outro. Toda fala expressa algo, somos movidos por sentimentos e necessidades. E mesmo a mais violenta das nossas falas internas é também uma parte de nós que quer cuidar, só não sabe como.

Por vezes, como no exemplo que dei, não estou em condições de traduzir o que a voz julgadora tem a dizer. Por vezes, apenas dedico a mim uma palavra de encorajamento, como faria a alguém que amo muito. Aceitar os próprios sentimentos, acolhê-los sem dizer que estão certos ou errados, devidos ou indevidos, e ofertar um carinho – literalmente, tocar seu corpo com gentileza –, expressa um cuidado e respeito que podem transformar o nosso dia a dia. Ouvimos tantas vezes que erramos porque não prestamos atenção ou porque não tomamos cuidado que interiorizamos a convicção de que erros são sempre evitáveis e que, se não os evitamos é porque somos irresponsáveis. Acreditamos que é possível viver sem erros. Que uma vida impecável é apenas uma questão de esforço pessoal. Não poderíamos estar mais equivocados.

Nós erramos e erraremos até o dia que morrermos. Não gosto muito dos conceitos de erros e acertos, porque acredito que são absolutamente relativos, mas utilizo aqui para fins didáticos. Entenda erro como fazer algo diverso do que planejou, que frustra as expectativas. Ser menos que perfeito. Todos agiremos assim. Observe a natureza. Ela é cíclica e impermanente. Hoje chove, amanhã faz sol. As estações se revezam. A maré enche e se esvazia.

UM NOVO OLHAR SOBRE NÓS

A lua muda de fases. Nós fazemos parte desta natureza cíclica. Nós também temos essas fases e, em algumas, será fácil e simples seguir o que se acredita, em outras tantas será árduo e desafiador. Acertar hoje não garante o acerto de amanhã. Mais uma vez afirmo que a linha reta é a morte. A vida oscila. Tenha carinho e compaixão por suas oscilações. Pelos dias complicados, pelas palavras ditas sem pensar. Tudo que você menos precisa em dias difíceis é do dedo gélido e violento do grande julgador apontando as suas imperfeições. Mesmo que ninguém tenha compreendido os seus sentimentos, seja o primeiro a fazê-lo. Desabafe consigo mesmo, abra o seu coração. Deixe que os sentimentos saiam sem pudores. Acolha a si mesmo.

Todos temos uma lista de pessoas por quem morreríamos. Tenho a minha lista de pessoas especiais pelas quais eu daria a minha vida, sem pestanejar. Certo dia, percebi que eu não estava na minha lista. Eu faria pouquíssimas coisas por mim. Eu não abria espaços na agenda, eu não ouvia as minhas necessidades, eu não enfrentaria o mundo defendendo a mim mesma. O choque da constatação me fez mudar a minha forma de me tratar. Eu jamais falaria com as minhas amigas como falava comigo mesma. Eu jamais falaria com qualquer pessoa que estava nesta lista como falava comigo mesma. Na verdade, eu jamais falaria com ninguém como eu falava comigo mesma. Fiz então o compromisso de me colocar no topo da lista. Ali, junto com as pessoas que mais amo na vida, os seres que fazem do meu mundo um lugar especial. Os seres que me mostram que vale a pena viver. O meu nome precisava estar ali. Não posso afirmar que a compaixão é algo simples e fácil de aplicar no meu dia a dia. Não é. No entanto, estou atenta. Busco traduzir todas as vozes que falam na minha cabeça. Acolher a todas elas. Somos uma só, afinal.

Encerro este livro convidando você a fazer o mesmo. A tratar-se como a alguém por quem você morreria. A dar importância aos seus sentimentos e necessidades. A não deixar que a voz julgadora cale todas as outras que vivem em sua cabeça. Convido você a deixar as lágrimas virem quando quiserem, enxugá-las com carinho e reconhecer e aceitar tudo que dói, sem julgamentos. A respeitar e amar o seu corpo hoje, mesmo que completamente diferente do que desejava que fosse. É amor que você merece e é esse amor e essa bondade por si que podem transbordar para a sua relação com as crianças. Convido você a reconhecer que, todos os dias, em todos os momentos, você tem feito o melhor que pode. Que poder fazer ainda melhor não diminui as suas conquistas até aqui. Você tem feito o seu melhor, e eu duvido que, ao acordar, você pense que quer ser o pior de você. Levantamos da cama com as melhores intenções, mesmo que não ditas. Respeite, ame e honre a sua história. Este livro fala de educação de filhos, e, independentemente da criação que tivemos na infância e do que foi o melhor dos nossos pais, hoje somos nós os responsáveis pela nossa educação. Que sejamos pais amorosos, gentis e assertivos de nós mesmos, assim será mais fluido e leve fazê-lo com os nossos filhos.

Não esqueça a sua humanidade.
Não esqueça que você é merecedor de amor, respeito e empatia.
Não esqueça que você é bom o suficiente. Você é boa o suficiente.
Eu confio em você e espero que você aprenda a confiar também.
Estamos juntos!

 RESUMO DO CAPÍTULO

- Nenhuma mudança é instantânea. Respeite a sua história, o seu ritmo e o seu processo de aprendizado e implementação de tudo que leu até aqui;

- Coloque você mesmo em sua lista de prioridades. Cuidar de si é, também, cuidar de todos que estão sob os seus cuidados;

- Manter-se nutrido em suas necessidades aumenta a sua capacidade de compreensão e acolhimento;

- Cuide do seu corpo, do que ouve, lê e fala, das suas escolhas e da sua diversão;

UM NOVO OLHAR SOBRE NÓS

- Questione sua mente. Não se deixe levar por todas as histórias que ela conta. E lembre-se de desativar o piloto automático sempre que possível;

- Aceitação não é sinônimo de comodismo. Acolha todas as suas características e sentimentos, e esta atitude o ajudará a desenvolver ferramentas para lidar com elas;

- Brigar com a realidade não resolverá nenhum dos nossos problemas. A energia que gastamos brigando com o que deveria ser e não é pode ser mais bem direcionada se a utilizarmos buscando estratégias para lidar com o que nos acontece;

- A natureza é cíclica e nós também o somos. Em algumas fases, agir de acordo com o que acreditamos é simples e fluido; em outras, é extremamente desafiador;

- Seja seu amigo. Trate a si mesmo como a alguém que ama muito. Autocompaixão e autoempatia podem deixar os dias mais leves;

- Você tem feito o seu melhor. Você é bom o suficiente. Confie em si mesmo.

AGRADECIMENTOS

Não escrevi este livro sozinha. Cada letra aqui presente existe porque sou cercada de pessoas incríveis e amorosas, e a elas tenho muito a agradecer.

À minha mãe, minha sogra e as minhas cunhadas, pelo apoio e cuidado sempre presente, pelos milhares de vezes em que liguei e que, ao ouvirem a minha voz acelerada: "Pode cuidar das crianças hoje?", me acolheram calmamente e receberam os meus pimpolhos para que eu pudesse escrever ou viajar. À minha mãe ainda acrescento o colo sempre presente, a passagem que pagou para que eu pudesse realizar a minha primeira palestra em outra cidade, depois de me ver chorando porque teria de cancelar. As histórias que hoje contei, as salas lotadas pelo país a fora e a sustentabilidade da minha carreira foram impulsionadas por aquele gesto.

Ao meu marido, que aguentou as minhas oscilações de humor e ansiedade, que me apoiou quando desisti da minha profissão de formação e me aventurei em uma nova carreira. Por cuidar das nossas crias enquanto a mamãe está a quilômetros de distância ajudando outros pais a cuidarem dos seus filhos.

Ao meu pai, por sempre acreditar em meu potencial, por alimentar a minha veia empreendedora quando eu não sabia que ela existia. Por me ajudar a realizar muitos sonhos.

À minha irmã, pelas horas no telefone, ora chorando, ora rindo. Por ser mais que uma irmã, mas uma amiga, uma parceira, cúmplice e confidente. Se antes de nascer me fosse dado o direito de escolher quem seria a minha irmã, seria com ela que eu dividiria o quarto e a vida novamente.

À minha amiga Eduarda Morais, por ter lido os dois primeiros capítulos escritos e, de maneira assertiva e amorosa, me dizer que eu tinha potencial para mais. Este livro não seria o que é sem suas opiniões, correções e seu carinho.

Às minhas amigas queridas, que me apoiam, que me fazem sentir especial, que nutrem a minha necessidade de pertencimento.

Aos meus filhos, por me fazerem mãe. Agradeço a complexidade de vocês, suas imperfeições, os desafios que me trouxeram e trarão. Agradeço os abraços e o colo que me ofertam diariamente.

Às minhas seguidoras e seguidores nas redes sociais.

Às minhas alunas e aos meus alunos. A todos que me permitem saber um pouco de sua história e acompanham o meu caminhar. Eu celebro a existência de cada um de vocês.

Agradeço, principalmente, a Deus, ao universo, à força potente que já operou tantos milagres em minha vida.

Agradeço, enfim, a você, leitor, que acreditou que este livro poderia ajudá-lo em sua jornada de pai ou mãe. Que tenha valido a pena.

Este livro foi composto na tipografia
Frutiger LT Std, em corpo 10/15,
e impresso em papel off-white no
Sistema Cameron da Divisão Gráfica da
Distribuidora Record.